KB092421

모세의 코드

"이 세상에서
가장 강력한
끌어당김의 법칙"

MOSES CODE
모세의 코드

제임스 타이먼 지음
다니엘 최 옮김

행복우물

“

나의 첫사랑이자

영원한 연인인 린다에게.

비록 당신은 세상을 떠났지만

그 아름다운 모습은

언제까지나

나의 가슴에 남아 있을 것이오.

”

MOSES CODEO

INTRO

책머리에

세계 역사상 가장 강력한 자기실현의 도구!

어쩌면 이 말은 마치 거창하게 떠벌려서 사람들의 주의를 끌고 결과적으로 책을 많이 팔아먹으려는 얄팍한 상술로 비칠지도 모르겠다. 그렇지만 만약에 이 말이 사실이라면 어떻게 할까?

아주 오래 전의 그 코드가 존재할까? 세계 역사상 가장 위대한 인물인 모세가 썼던 그 마술과도 같은 공식이? 수천 년간 잃어버렸던 비밀이?

흥미로운 사실은 우리들 중 많은 사람들은 이미 일상생활에서 그 비밀과 친숙해져 있지만, 그것을 우리 생활에 적용하지 못하고 그냥 지나치면서 살아간다는 점이다. 그 결과 아직까지도 그런 기적을 불러오는 코드의 비밀을 알고 있는 사람들은 많지 않은 게 현실이다. 그런데 만약 그것이 적용될 수만 있다면 그 코드는 우리들의 가슴속으로 바라는 모든 것들을 끌어당길 것이다.

왜 그것이 지난 수천 년 동안 숨겨져 왔고 또 사용되지 않고 있었는지는 지금도 여전히 수수께끼로 남아있다. 그러나 이제 처음으로 모세의 코드는 어떤 특정 계통에 종사하는 선택된 몇몇이 아닌 모든 일반 사람들과 공유될 것이다.

이제부터 나는 당신에게 당신의 인생을 바꾸기 위해서, 더 나아가서는 이 세상을 변화시키기 위해서 어떻게 이 책을 사용해야 하는지에 대하여 말할 것이다. 당신은 지금껏 갈망해오던 모든 것들, 예를 들면 부유함, 좋은 관계, 성공과 출세 등을 끌어들이기 위하여 이 기술을 사용할 것이다. 그러나 당신이 모세의 코드를 사용하면 할수록, 그것이 단순히 개인의 성공 그 이상의 훨씬 더 위대한 것을 가리킨다는 사실을 깨닫게 될 것이다. 즉, 우리들의 평화를 사랑하는 감정을 자극하여 사랑과 연민이 가득 찬 세계를 건설하는 것과도 같은 일들 말이다.

내가 처음으로 모세의 코드를 알게 된 때는 내가 나의 전 작품 『The Art of Spiritual Peacemaking』을 쓰고 있을 때였다. 한창 집필을 하고 있던 어느 날 밤, 마치 수천 년 간 잠자던 비밀의 실마리들이 맑은 공기 속에서 숨을 쉬고 싶어 밖으로 나오려고 몸부림치는 것 같은 기분을 느낄 수 있었다. 아니면 나의 인간 본성이 과거에는 한 번도 시도해보지 않았던 방법으로 새로운 시도를 해 보려고 했는지도 모를 일이다. 어느 순간, 나는 그 코드가 진실인지 아닌지를 실험해보고 있는 나 자신을 발견할 수 있었다.

내가 전 작품을 쓰고 있을 때, "나는 스스로 있는 자니라."라는 말씀이 계속하여 나의 머릿속에 떠올랐다. 나는 하나님의 이름 속에 권능이 있음을 알고는 있었지만, 그때까지도 그 능력을 끌어당김의 법칙과 연결시키지는 못하고 있었다. 그것이 명백하게 떠오른 것은 내가 그 "스스로 존재하는 하나님"이라는 구절을 더 깊이 연구하고 그것을 실제로 적용하면서부터였다. 이 책의 소제목이 암시하듯이, 그것은 정말로 가장 위대하고 강력한 자아실현의 도구였던 것이다.

그때까지 나는 아홉 권의 책을 썼지만, 그중 어느 한 권도 뉴욕타임스 베스트셀러 리스트에 제대로 올라간 적이 없었다. 『The Proposing Tree』란 책이 베스트셀러 25위에 일주일 정도 오른 것이 고작이었다. 내가 이 말을 하는 이유는 내가 그다지 크게 성공한 작가가 아니라는 솔직한 고백을 하기 위해서이다. 나의 첫 번째 책 『Emissary of Light』는 여러 해 동안 꾸준히 잘 팔렸지만, 그것조차도 베스트셀러 리스트에는 오르지 못했다. 그렇다면 나는 이제 완벽한 테스트 기회를 잡은 셈이다.

그래서 나는 결심했다. 모세의 코드를 이용하여 나의

책 『The Art of Spritual Peacemaking』을 그것이 출간되는 날에 세계 베스트셀러 1위에 올려놓아 보자!

이것은 기적을 요하는 일이었고, 이것이야말로 나의 실험에 가장 이상적으로 들어맞는 조건이었다.

여러 달 동안, 나는 모세의 코드에서 얻은 교훈들을 실생활의 이런 저런 면에서 적용해 보았다. 아침에 일어나면 나는 그 말씀을 갖고 명상한다. 심지어는 그 문구를 십여 개 이상 복사하여 이곳저곳에 붙여 놓고는 그것들을 볼 때마다 암송하곤 했다. 화장실 문에도, 부엌 벽에도, 침실에도, 나의 눈길이 닿는 곳이라면 어디든 그 코드가 붙어 있었다. 그러자 서서히 나의 에너지가 살아나는 게 느껴졌고, 새로운 아이디어가 끊임없이 샘솟아 오르면서 점차 윤곽이 잡히기 시작했다. 세계적인 베스트셀러가 되려는 나의 비전을 달성하려면 어떻게 해야 되는지에 대한 생각이 차근차근 자리를 잡아가기 시작했다.

마침내 내 책이 출간되는 날이 왔다. 나는 아마존에 접속해서 내 책의 현재 상태를 살폈다. 그 전날에 보니 내 책은 대략 10,000등 언저리에서 맴돌고 있었다. 그렇지만 출간 당일인 2006년 6월 6일 이른 아침에(실제로 책이 출간된 것은 출간일보다 한 달 정도 빠른 5월초였다.) 내 책은 300등까지 올라갔다. 내 책은 계속 상승세를 타고 있었던 것이다. 정오 무렵이 되자 20위까지 올라갔고, 오후 세 시가 되자 아마존 종합순위 3위까지 올라갔다. 나는 속으로 생각했다. 이제 두 계단만 더 올라가면 된다! 다섯 시가 되자 내 책은 2위의 자리까지 치고 올라갔다. 내 책은 2위의 자리에서 몇 시간을 있었다.

몹시 괴로운 순간이었다. 매시간 순위를 체크했지만 요지부동 변화가 없었다. 나는 심지어 베스트셀러 1위인 책은 소프트커버이니까, 내 책이 하드커버 부분에서는 1위라고, 그러니까 실제로는 1위인 셈이라고 나 자신을 합리화하기까지 했다. 내가 모세의 코드를 이용하여 그것이 실현되리라는 비전을 갖고 있었을 때, 나는 나 자신과 어떤 경우라도 타협하지 않기로 했었다. 그것은 그렇게 되어야만 했고, 나는 거기에 대한 확실한 믿음이 있었다.

모든 게 놀라웠다. 그러나 이것은 엄연한 현실이었다. 모세의 코드는 내가 만든 것도 아니고 내가 발견한 것도 아니었다. 여러 의미에서 오히려 그것이 나를 발견한 것이다. 최근 들어서 끌어당김의 법칙에 대한 많은 논란이 있어온 것도 사실이다. 그 법칙은 이렇게 가르치고 있다. "어떻게 하면 내가 갖고 있지 않은 것을 소유해서 나 자신을 행복하게 할 수 있을까?" 나도 솔직히 이것이 매우 중요한 첫 번째 단계라는 점을 인정한다. 그렇지만 모세의 코드는 이와는 약간 다른 접근방식을 요구한다. 다른 말로 하면 그것은 우리에게 이런 질문을 던져주고 있다. "욕망의 굶주림을 채우는 것이 진정한 목표인가? 우리 내부에 훨씬 더 중요한, 다른 방식으로 우리의 욕구를 채워주는 그런 것은 없는가?"

모세의 코드는 그보다 훨씬 더 중요하고 필수 불가결한 끌어당김의 법칙의 상위개념이다. 그것은 바로 "우리들의 영혼의 갈망을 어떻게 만족시키는가?"하는 문제에 대한 해답이다. 내 책이 출간되는 바로 그날에 베스트셀러 2위에 올랐다는 사실은, 우리가 그 코드를 어떻게 활용하여 우리 생활에 이익을 가져올 수 있느냐에 대한 하나의 좋은 사례라고 볼 수 있다. 그러나 과연 이것만이 우리들이 요구하는 전부일까? 진정 우리는 이 신성한 코드를 단지 우리들 자신의 이익을 추구하는 데에만 이용해야 하는가? 우리 인간들에게 주어진 인간본성의 회복이라는 커다란 명제를 너무 소홀히 하는 것은 아닌가?

영혼의 갈망과 목표의 추구라는 두 개념의 차이에 대해서는 이 책에서 차차 다루겠지만, 여기서 한 가지를 확실히 해두는 것이 독자들에게 도움이 되겠다. 우리들의 에고는 간절히 빌면 갖고 싶은 것을 가질 수 있고, 하고 싶은 것을 할 수 있다는 평범한 진리에 너무 중독되어 있다는 사실이다. 반면에 우리들의 영혼은, 필요로 하는 사람들에게 모든 것을 아낌없이 주라고 가르치고 있다. 그러면 우리가 바라던 것들은 이미 우리 안에 있다는 사실을 깨닫게 된다는 것이다.

이것이 바로 모세의 코드의 핵심이자 끌어당김의 법칙의 가장 높은 차원의 목표이다. 그 코드는 이스라엘 백성들이 이집트의 노예였을 때, 그들을 자유롭게 풀어주기 위해서 처음으로 사용되었다. 이제는 그 코드가 당신을 에고의 욕망의 굴레에서부터 풀어주기 위해서 사용될 것이다. 이 책의 목적은 당신에게 진정한 자유를 되찾아주기 위해 이제껏 역사상 가장 강력한 끌어당김의 도구를 제공해주는 데에 있다. 그렇다면 무엇이 진정한 자유인가? 그것은 간단히 말하면, 자신의 영성을 자신이 어떤 처지에 있던 간에 어떠한 순간에도 자유롭게 표현하는 능력을 말하며, 그것은 또한 당신이 경험하고 있는 우주의 창조자가 다름 아닌 바로 자기 자신이라는 사실을 느끼는 것이다. 당신의 에고는 당신을 노예로 만들려고 한다. 반면에 영혼은, 모세가 했던 것처럼, 당신을 자유롭게 해 주려고 한다.

이 과정에 포함된 능력의 다른 한 예를 들어보겠다. 나는 이 책을 오레곤 주의 탈렌트에 있는 나의 집 근처 작은 카페에서 집필하고 있었다. 그때 나는 어떤 특정한 목표를 달성하기 위해서 그 코드를 사용하며 시간을 보낸 적이 있었다. 그것은 바로 내가 소유하고 있는 집을 팔기 위한 것이었다. 나는 깊이 숨을 들이마시며 내가 속으로 읊조리는 단어들의 에너지를 느꼈다. 그리고는 잊어버렸다. 내가 이렇게 집중한 시간은 불과 몇 십 초밖에 되지 않았지만, 나는 그것이 가져오게 될 아주 깊은 효과를 믿고 있었다.

그때는 일요일 오후 4시였고 카페도 한두 시간 후면 문을 닫을 시간이었다. 카페 안에는 50대 정도의 부부가 나와 서너 테이블을 사이에 두고 앉아 있을 뿐이었다. 그들은 신문을 보며 낮은 소리로 대화를 하고 있었다. 순간, 나는 그들의 대화에 주의를 집중하고 싶은 충동을 느꼈다. 가만히 귀를 기울여보니 그들은 미네소타로부터 와서 SOU(Southern Oregon University)에서 직업을 잡으려고 하고 있음을 알게 되었다. 나는 그들이 신문의 부동산 면을 살피면서 거기 실려 있는 주택과 타운하우스에 대해서 의논하고 있다는 사실도 알게 되었다. 매우 흥미로운 상황이었다. 결국 나는 자리를 뜨려던 생각을 접고, 거기서 출판사인 헤이하우스에 보내야 할 마지막 원고를 쓰기로 작정하였다. 약속한 원고 제출 마감 기일은 앞으로 이틀밖에 남지 않았고, 아직도 써야 할 글은 많이 남아 있었다.

나는 컴퓨터를 내 앞으로 끌어당겨서 거기에 MOSES

CODE라고 타이핑했다. 그러자 내 마음속의 스크린에 그들이 나타났고, 바로 그 순간 마음속에서 무엇인가가 나를 끌어당기는 것 같은 느낌을 받았다. 그 느낌은 내게 이런 말을 하고 있는 것만 같았다. "그들에게 가서 네가 팔고자 하는 집에 대하여 말하여라."

문제의 그 집은 현재 임대를 준 상태였고, 내게 그 집을 팔고자 하는 마음이 있긴 했지만, 아직도 시장에 매물로 내놓지는 않은 상태였다.

마음속에서의 이런 충동에도 불구하고 나는 그들 사이의 대화에 끼어든다는 게 왠지 무례한 것처럼 느껴져서 망설일 수밖에 없었다. 그렇지만 내 마음속의 그 목소리는 점점 더 강하게 계속하여 나를 충동질했고, 결국 나는 그들에게 다가가서 인사를 하고야 말았다.

그리고 무슨 일이 있어났을까? 불과 15분이 지나지 않아 그들은 나의 제안을 100% 받아들였으며, 내 집을 간절히 보고 싶어 했다. 결국 우리는 그날 중으로 투어와 인스펙션까지 모두 마치고 마침내는 계약서에 사인까지 하게 되었다. 계약을 하면서 그들은 내 집이 자신들이 간절히 원했던 집이며, 자신들의 예산에도 꼭 들어맞는 집이라고 기뻐하였다.

모세의 코드는 진정 가장 강력한

자아실현의 도구인 것이다!

책머리에

세계 역사상 가장 강력한 자기실현의 도구! ... 8

제1부 끌어당김의 법칙

1. 지혜로운 사람들을 위한 이야기 ... 27
2. 하나님으로부터 받은 선물 ... 42
3. 람세스 대왕 ... 56
4. 하나님과의 대화 ... 73
5. 현실 vs 상상 ... 90
6. 하나님의 거룩한 이름 ... 99

제2부 진정한 여행이 시작됐다

7. 두 갈래 길 ... 118
8. 영성 vs 종교성 ... 126
9. 계몽의 확산이론 ... 140
10. 하나님처럼 바라보기 ... 150
11. Ego vs Soul ... 156
12. 마지막 단계 ... 163

제3부 끌어당김의 법칙 실천 매뉴얼

13. 끌어당김의 법칙 단기 완성 코스 ... 175
14. 원하는 것을 얻는 10가지 열쇠 ... 181
15. 원하는 것을 얻지 못하게 하는 10가지 장애물 ... 197

저자 후기 ... 212
옮긴이의 글 ... 216

I AM THAT I AM

MOSES CODE 1

PART ONE

끌어당김의 법칙

최근 수년 사이에 너무나도 많은 사람들이 끌어당김의 법칙에 대해서 이야기하고 있다. 사람들은 자기에게도 원하는 것은 무엇이든지 성취할 수 있는 능력이 있다는 사실을 깨닫기 시작했다. 더 정확히 말하면, 그들은 자신에게도 이런 능력이 예전부터 있어왔다는 사실을 요즘에야 깨닫고 있는 것이다. 사실 끌어당김의 법칙은 전혀 새로운 것이 아니다. 오히려 우리들이 살아가면서 옛날부터 있어왔던 이 신령한 원칙을 피하여 살 수 없다고 말하는 게 더 옳을지도 모른다.

이 원리는 지난 3,500년 전부터 있어왔다. 그러나 통치자들은 그것이 함부로 사용되어서는 위험하다는 판단을 했고, 그 결과 이 원리는 오랫동안 사람들의 기억 속에서 사라져 있었던 것이다.

나는 이 책을 통하여 그동안 잠자고 있던 오래된 이 기술을 사용하는 방법을 여러분에게 가르쳐줄 것이다. 통치자들이 옳았는지도 모른다. 우리들이 영적으로 성숙해 있는지는 모르겠으나, 한 가지 나에게 분명한 사실은 우리들에겐 선택의 여지가 별로 없다는 점이다. 지금 세계는 너무나도 빠른 속도로 돌아가고 있다. 우리들이 이 코드의 지혜를 어떻게 사용하느냐에 따라서 이 지구는 다음 단계로 도약할 수도 있을 것이고, 또는 급속히 파멸의 길로 들어설 수도 있을 것이다. 그 선택은 오로지 우리들의 몫처럼 보인다.

비록 이 책이 역사상 가장 중요한 책은 아닐지라도, 내가 알기로는 이 책에 씌어 있는 원칙들과 기술들은 결정적으로 중요한 것들이다. 모세의 코드가 처음 이스라엘 사람들에게 알려졌을 때, 역사상 기적 같은 중요한 사건들이 일어났다. 그 후 얼마 되지 않아 영향력 있는 지도자들은 그 코드가 포함하고 있는 에너지가 너무나 강력한 힘을 갖고 있기 때문에, 그것이 남용된다면 사회가 걷잡을 수 없는 위험에 처할 수도 있다는 판단에 따라 최고위급 몇몇을 제외하고는 사용할 수 없도록 만들어 놓았다.

사실 우리들의 종교적인 역사란, 모세의 코드를 알고 있었을 뿐 아니라 그것을 활용하여 비범한 결과를 만들어낸

믿음의 조상들에 관한 이야기이자 그들을 둘러 싼 전설로 구성되어 있다. 그들 중에 가장 위대한 인물은 단연 나사렛의 예수이다. 이제는 우리들도 그 코드를 모두 숙지할 때가 되었다. 그건 단지 우리들 삶에 풍요함을 더하기 위해서만이 아니고, 연민과 평화가 밑바닥에 깔려 있는 세상을 만들기 위함이다. 만약 우리들이 단지 우리들 자신의 이익을 추구하기 위해서 이 도구를 활용한다면, 그건 또 하나의 상실에 지나지 않을 것이다.

이 말은 어쩌면 불길하게 들릴지도 모르지만, 그게 바로 내가 원하는 바이기도 하다. 당신은 이제 당신의 실제를 개발해 낼 수 있는 역사상 가장 강력한 도구를 선물 받게 될 것이다. 이것은 이른바 요즘 흔히 말하는 뉴 에이지의 허구적인 꾸며낸 이야기가 아닌, 진정이고 사실이다. 우리들은 지금껏 꿈꾸어오던 이상세계를 실현하기 위한 계몽된 영혼들이 필요하다. 우리들의 무지와 무의식의 결과로 인해 황폐화 돼 버린 지구를 잠시 돌아보라. 지구는 자신의 의지로 현재와 같은 치유불능의 벼랑 끝에 몰린 게 아니라, 바로 우리들의 이기심 때문에 그렇게 된 것이다. 이제 의문은 아주 간단하다. 우리들이 다시 이런 선택을 해야만 할까, 아니면 에고의 욕심을 멀리하고 영혼의 가르침에 따라야 할까를 결정해야 할 시점인 것이다. 당신이 바로 여기서 가장 중요한 역할을 해야 할 사람이다. 그리고 바로 그런 이유 때문에 이 책이 당신에게 선택된 것이다.

모세의 코드 제1부에서 우리들은 모세의 이야기에 대하여 토론하고 그 코드의 영적인 기본에 대하여 살펴 볼 것이다. 그런 후에 그 분위기는 급격하게 당신의 창조와 의식의 확장 능력의 중요성에 대하여 말하는 쪽으로 바뀌어 갈 것이다.

자, 이제 마음을 편안하게 갖고 즐기기 바란다. 당신은 이제 막 자신의 운명을 바꾸게 될 여행에 첫발을 내딛고 있는 것이다. 그 여행은 지금 즉시 떠나야만 하는 여행이다. 왜냐하면, '언젠가'하는 그날은 결코 당신에게 찾아오지 않을 것이기 때문이다.

1장. 지혜로운 사람들을 위한 이야기

당신이 기독교인이든 아니든, 아마도 모세가 이스라엘 백성들을 이집트로부터 인도하여 낸 이야기를 여러 번 들었을 것이다. 그 이야기는 모세가 불타는 가시덤불 앞에 서서 하나님의 음성을 듣는 놀라운 장면으로부터 시작된다. 그렇지만 우리들도 하나님의 음성을 직접 들은 적은 없는가? 이 이야기 속에 놀라운 비밀이 숨겨져 있다고 추론하는 것이 타당한 일인가? 즉, 우리들이 원하기만 하면 하나님은 우리들에게 원하는 모든 것을 끌어당길 수 있는 능력을 주셨다는 가정 말이다. 과연 이것이 하나님께서 우리 인간들에게 주신 가장 큰 선물이 될 수 있을까?

당신이 가장 끌어당기고 싶은 것은 무엇인가? 영혼의 동반자? 크고 멋있는 집? 당신이 꿈꾸어 오던 차? 아니면?……

정말 모세는 이 신비스런 메시지를 하나님으로부터 받았는가? 정말 하나님은 우리들이 원하기만 하면 모든 것을 쉽고도 자동적으로 얻으라고 우리들에게 열쇠를 주신 걸까? 만약 그렇다면, 당신에게도 이 비밀을 이용하여 당신의 남은 인생을 꿈같이 사는 것이 가능하지 않을까?

"모세의 코드에 온 걸 환영한다!"

우리가 알기로 모세는 히브리 노예 여인에게서 태어났다고 했다. 그러나 그에게 엄청난 행운이 따랐던 것인지 아니면 신의 개입인지는 몰라도, 모세는 궁중의 반대자들 속에서 이십트 공주에 의하여 키워졌다. 파라오가 반포한 법에 따르면, 새로 태어난 히브리 사내아이는 누구든 나일 강에 던져져서 죽임을 당해야만 했던 때의 일이었다.

그 이야기는 대략 이렇다. 레위 족속 아므람의 아내 요게벳은 아들을 낳아, 석 달 동안 몰래 숨겨 둔다. 그러나 그녀가 자기의 아들이 곧 발견되어 죽게 될 것이라는 사실을 알았을 때, 그녀는 아기를 갈대에 역청을 발라 물이 스며들지 못하도록 만든 상자 속에 넣어서 강물에 띄워 보낸다. 그런데 그곳에서 그리 멀지 않은 곳에서 파라오의 딸이 그 상자를 발견하게 되고, 그 아이를 꺼내어서 궁으로 데리고 와 자기의 양아들로 삼게 된다. 공주는 그 아기의 이름을 '모세'라고 지었는데, 그 말은 "물에서 건져냈다."는 뜻이다.

여기에 우리들 이야기의 중요한 실마리가 있다. 모세의 누이 미리암은 그 갈대상자가 강을 따라 흘러내려가는 것을 지켜보았다. 파라오의 딸이 그 아기를 구해내는 것을 보고, 공주에게 접근하여 혹시 히브리인 유모가 필요한지를 물었다. 모세의 친 어머니인 요게벳은 그 아기가 파라오의 손자로 입양될 때까지 키웠다. 시작부터 모세는 각기 다른 꿈을 꾸고 있는 두 명의 어머니에 의해서 양육되었고, 두 개의 서로 다른 세계에 자기의 다리를 뻗고 있었던 것이다.

이 이야기는 모세가 어른이 될 때까지 계속된다. 그러던 어느 날, 그의 인생을 송두리째 바꾸는 놀라운 사건이 발생하게 된다. 어느 날, 작업 감독을 하던 이집트 군인이 히브리 노예를 심하게 다루었을 때, 모세는 노예들과 함께 있었다. 그는 그 학대장면에 격분하여 그 군인을 때려죽이고, 그 시체를 모래 속에 묻었다. 아무도 본 사람이 없는 줄로만 알았다. 그러나 곧 그 비밀이 이스라엘 사람들 사이에 널리 퍼졌다는 사실을 알게 되었다. 그의 할아버지인 파라오가 그 소문을 듣게 되면 자기는 틀림없이 죽게 될 것이라는 두려운 마음이 들자 모세는 서둘러 시나이 반도로 도망친다.

그리하여 미디안 광야의 제사장인 이드로의 집에서 숨어 지내던 중, 이드로의 딸인 십보라와 사랑하는 사이가 되고 결국 둘은 결혼을 하여 가정을 꾸린다. 모세는 그곳에서 40년을 살았다.

자, 이제 우리들은 창조의 거대한 신비가 그동안 인류에게 비밀로 간직했던 해결점의 문턱에 와 있다. 우리들 각자에게 그 비밀을 경험하고 끌어안는 순간이 찾아 온 것이다.

어느 날 호렙 산에서 양떼들을 돌보고 있었을 때, 모세는 계속하여 불타고 있는 떨기나무를 보게 되었다. 그가 그 광경을 계속하여 바라보고 있을 때 하나님께서 말씀하셨다. 무어라 하셨는가?

이 말씀은 지난 3,500년 동안 수십억 명의 사람들에게 회자되고 사랑받았던 말씀이다. 이 말씀이 바로 하나님이 인류에게 준 가장 큰 선물이다. 지금 우리들이 이 말씀을 접하는 바로 이때가 기적을 창조한 비밀이 풀리는 순간이라는 사실을 깨달은 사람이 혹시라도 있는가? 이제 곧 당신은 모세의 비밀을 알게 되는 첫 번째 사람이 될 것이며, 당신의 삶 속에서 그 비밀을 적용하여 인생을 송두리째 변화시키는 놀라운 경험을 하게 될 것이다. 그러나 그것은 당신이 반드시 그 비밀을 소중히 간직한다는 전제조건 하에서만 가능한 일이다.

성경 출애굽기에 기록되어 있는 모세와 하나님과의 대화를 통해 그의 여정을 확인해 보기로 하자. 그것은 이렇게 시작되고 있다.

"덤불 가운데서 하나님이 부르셨다. 모세야, 모세야. 그러자 모세가 대답하였다. 내가 여기 있나이다."

맹렬한 불꽃 가운데서 들려오는 하나님의 음성에 대한 모세의 반응에 주의를 기울이기 바란다. 그는 두려움 때문에 도망치려 하지 않았다. 그는 또 땅에 쓰러지면서 이렇게 말하지도 않았다.

"왜 나를 자꾸 부르십니까? 나는 그런 일을 감당할 만한 가치가 없다는 사실도 모르십니까?"

그 대신 그는 불꽃이 이는 덤불을 향해 이렇게 말했다.

"내가 여기 있나이다."

이 말은 언뜻 보면 별 의미가 없는 말처럼 들린다. 그러나 우리가 좀 더 깊이 들어가 보면, 그 말에는 중요한 의미가 포함되어 있음을 알 수 있다. 그렇지만 그의 대답이 포함하고 있는 중요성의 강도는 우리들이 대화를 더 진행하기 전에는 파악하기가 쉽지 않다.

모세의 대답을 들으시고 하나님은 기뻐하신 것처럼 보인다. 하나님은 모세에게 이렇게 말씀하셨다.

"네가 선 곳은 거룩한 땅이니라."

왜 그 땅이 거룩한가? 명백한 대답은 그곳에 하나님이 나타나셨고, 하나님이 자신을 세상에 알린 곳이기 때문이다. 하나님의 존재는 산악지역의 깊은 숲 속에서 자주 경험된다. 그리고 그 숲이 계속 불타고 있었다는 사실이 그 신비감을 더해준다. 그러나 그 땅이 그렇게 신성시되는 또 다른 이유는 없었을까? 하나님은 자기 자신을 잘 알고 계신다. 이것은 우리 모두가 동의하는 사실이다. 즉, 하나님은 언제나, 어느 곳에나 존재하는 분이라고 말이다. 그러면 하나님은 왜 유별나게 자기가 어떤 한 사람에게 목격되었던 그 한 장소만을 거룩하다고 말씀하셨을까? 하나님의 관점에서 보면, 자신은 어느 곳에나 존재하기 때문에 모든 장소가 다 거룩해야만 하는 것이다. 이 말의 의미는, 창조주는 어떤 특정한 장소를 유독 다른 장소보다 더 축복할 것 같지는 않다는 말이다. 우리 인간들은 그럴지도 모른다. 그러나 하나님은 그렇게 하지 않을 것이다. 다시 말하지만, 하나님의 영역에는 제한도 경계도 없기 때문이다.

우리 인간들이 겪는 큰 어려움 중 하나는, 하나님을 어느 때나 어떤 장소에서나 보거나 경험할 수가 없다는 사실이다. 사고력에 한계가 있기 때문이다. 만약 그렇다면, 하나님 역시도 이런 제한이 있을까? 만약 그렇다면, 하나님도 우리들 인간처럼 한계가 있는 존재일 것이고, 따라서 '스스로 있는 자'라는 말의 의미는 더욱 이해할 수 없게 될 것이다.

하나님이 모세에게 신을 벗으라고 명령하셨을 때, 하나님은 우리들이 처음 추측했던 것보다 훨씬 더 친근한 어조로 말씀하지 않으셨을까? 모세는 하나님께 대답했다.

"내가 여기 있나이다."

이때 하나님은 모세에게 웃음 지으시면서 이렇게 말씀하신 것이 아닌가 싶다.

"잘 했구나, 모세야. '내가 여기 있나이다.'라고 한 대답은 정말 잘 했구나. 여기 이 땅은 거룩한 곳이다. 왜냐하면 이곳이야말로 네 자신이 누구인지를 깨달은 바로 그 지점이기 때문이란다."

이 순간에 당신은 이렇게 생각할지도 모른다.

"잠깐만요! 지금 당신이 주장하는 것은 모세가 마치 창조주가 깨닫듯이, 자기 자신이 누구인지를 알아차렸기 때문에 하나님께서 기뻐하셨다는 말입니까?"

"그 대답은 '그렇다'이다."

수천 년 동안, 우리들은 거짓말에 팔려서 살아왔으며, 모세의 코드를 가치 없는 것으로 치부하고 지금까지 은폐하기에 급급했던 것이다. 우리들은 지금껏 살아오면서, 우리들 모두는 나약하고 깨어지기 쉬운 존재이며, 아무것도 할 수 없는 미물의 하나에 지나지 않는다고 세뇌당하면서 살아왔다는 말이다.

만약 우리들이 행운아라면, 우리들은 어느 정도의 위안을 얻고, 그저 한두 채의 집을 소유하고, 은행에 약간의 잔고를 쌓아두며 살아갈 것이다. 그러나 그것들 중 어느 하나도 우리들을 만족시켜주지는 못한다. 우리들의 목적은 사랑하다가 죽는 것이며, 그저 그 사이에 몇 번 정도의 기쁨이 존재할 뿐이다. 우리들은 결코 자신이 탈출할 수 없는 상상의 감옥 속에서 그 감옥이 가정이라고 착각하면서 살아간다. 그 감옥 속에 자신을 가두어 놓고 지내왔던 것이다.

그렇지만 만약 그 감옥에 자물쇠가 채워진 적이 한 번도 없었다고 한다면 어떻게 할 것인가? 만약 이 세상이, 우리들 스스로가 만들어 낸 '투영의 창'이라고 한다면 어떻게 될까? 우리들의 상상력이 만들어 낸 비전에 하나님은 단 한 번도 동의한 적이 없는 그런 투사(投射) 말이다. 만약 하나님이 전지전능하시고 어느 때나 어느 곳에나 계신 분이라면, 우리들이 그 비밀을 알게 되는 것을 기뻐하지 않으실까?

대답하기 전에 잠시만 기다리라. 섣부른 대답은 금물이다. 왜냐하면 당신의 그 짧은 대답은 당신의 모든 인생을 총 정리한 결론이 될 것이기 때문이다. 그것은 분명 하나님께서 당신에게 예정해 놓으신 모든 일들을 받아들이는 당신의 태도를 반영할 것임에 틀림없으리라. 뿐만 아니라 당신의 대답은, 당신이 모세의 코드를 깨고 그 안에 숨겨진 기적의 비밀을 받아들일 준비가 되어 있는지를 결정할 것이다.

자, 이제 다시 하나님과 모세의 대화를 더 들어보자. 하나님께서 모세에게 말씀하셨다.

"나는 그들을 이집트인들의 손으로부터 구해내서 젖과 꿀이 흐르는 땅으로 인도해내기 위하여 여기에 왔노라." - 출3:8

하나님은 모세에게 아주 위대한 약속을 하셨다. 이스라엘 백성들을 이집트의 압제로부터 구해내서 그들에게 새로운 땅, 즉 모든 것이 풍족하며 자유롭게 살 수 있는 낙원으로 인도해 주겠다는 약속을 하신 것이다. 다시 한 번, 하나님의 속성을 살펴보고 과연 우리들도 그 백성들 중의 한 명이 될 수 있는지를 따져보자.

하나님은 모든 것을 알고 계시고 모든 것을 할 수 있으시므로, 또한 어느 곳에나 존재하심으로 이 약속은 어느 한 그룹이나 민족에게만 하신 약속이 아니다. 오히려 그 이상의 선언이라고 보는 것이 타당하리라. 그렇다면 하나님의 그 약속은 지금이라도 그것을 듣고 그 의미를 깨닫는 누구에게나 유효하다고 해야 하지 않을까? 만약 당신이 그 약속을 듣고 그것을 믿는다면, 하나님은 그 옛날 모세에게 하셨던 것처럼 오늘날에도 똑같이 당신을 젖과 꿀이 흐르는 땅으로 인도하여 주실 것이다.

하나님은 모세에게 이스라엘 민족을 속박의 굴레로부터 해방시켜 약속한 땅으로 인도해 내겠다고 말씀하셨다. 우리가 알기로는 그곳은 모세와 그의 추종자들이 필요로 하는 모든 것이 다 있는 땅이었고, 어느 것 하나 부족함이 없는 곳이었다. 왜 그럴까? 그들은 바로 창조주 하나님에 의해서 선택된 사람들이니까. 그런 좋은 것들을 받을 만한 가치가 있는 사람들이니까.

중요한 포인트는 바로 이것이다. 즉, 우리 인간들은 지금까지 수많은 세대에 걸쳐 살아오면서, 하나님의 선물은 이스라엘 민족이라는 특정한 사람들만을 위해서 준비된 것이라고 믿으면서 지내왔다. 바로 그러한 신념 위에서 다른 여러 민족보다 한 민족을 더 편애하시며, 그 선택된 자들에게는 다른 민족들이 받지 못하는 좋은 것들을 기꺼이 주시는 분이라고 믿어왔다.

그렇지만 과연 이것이 진실일까? 하나님은 "나는 그들

을 이집트의 압제에서부터 구원해내기 위해서 왔노라."라고 말씀하신 후, 그들을 가나안 족속, 히타이트 족속, 아모리 족속, 브리스 족속, 히위 족속, 그리고 여부스 족속의 땅, 곧 젖과 꿀이 흐르는 땅으로 이르게 하려고 한다."라고 말씀하셨다. 다른 말로 하면, 그곳 젖과 꿀이 흐르는 땅에는 이미 많은 족속들이 살고 있었던 것이다. 아마도 그 족속들은 자기네들의 땅을 결코 떠나지 않았거나, 아니면 그곳에 도착하기 위하여 이미 코드를 사용할 수 있었는지도 모르겠다. 오직 우리들이 아는 것은, 하나님의 뜻은 선민들을 자유롭게 하는데 있다는 것이다. 하물며 젖과 꿀이 흐르는 기름진 땅에서의 자유는 더욱 소중할 것이다. 결국 모세는 우리들 중 어느 누구와도 다르지 않았다. 그런 특별한 선물 앞에서는 어느 누구라도 자신의 감정에 지배를 받지 않기란 사실상 어렵다. 즉, 두려움이 지배한다는 말이다.

당신의 자아는 당신의 원대한 꿈의 실현 따위는 고사하고, 당신에게 "나는 아무것도 받을 자격이 없다."라고 믿게끔 당신을 충동질한다. 그런 에고(ego)를 정의하는 가장 잘 알려진 축약어로는 "Edging God Out"이 있다. 이 뜻은 글자 그대로 "신을 가장자리로 몰아낸다."는 말이다. 어떻게 우리들이 날마다 경배하고 온 우주를 창조해내신 하나님을 감히 가장자리로 몰 수 있는가?

그러나 자아는 끊임없이 우리들에게 뒤로 물러서라고 충동질하며, "너나 잘해!"라고 조롱한다. 그것은 우리들의 능력을 이해하려고 들지 않는다. 모세처럼 우리들도 하나님께 이렇게 말하고 있는 것이다.

"제가 누구관대 감히 파라오 앞에 서며, 어떻게 이스라엘 민족을 이집트의 손에서 건져낼 수 있겠습니까?" - 출 3:11

하나님은 이렇게 말씀하셨을 것이다.

"그들을 인도하여 내지 않겠다고 말한 너는 대체 누구냐?"

때때로 우리는 어떤 일이 이루어지기를 바라며 막연히 누군가를 기다리는 경우가 있다. 정작 그 일을 할 사람은 자신밖에는 없는 데도 말이다. 하나님은 이 순간 바로 당신을 선택하셔서 당신이 원하는 모든 것을 받으라고 명령하신다. 그 명령을 따르면 당신은 바로 자신을 풍요롭게 만들어주는 위대한 비밀을 깨닫는 산증인이 될 것이다.

이제 우리는 모세의 코드가 근거하는 아주 결정적인 질문과 대답에 도달하였다. 하나님은 모세에게 불가능해 보이는 임무를 맡기셨다. 하나님은 심지어 모세에게 파라오가 순순히 그의 말에 응하지 않을 것이라는 사실까지도 알려주셨다.

당시 이집트를 건설한 공로의 절반은 이스라엘 백성들에게 돌려져야만 한다. 그들의 노동력이 아니었다면 파라오는 그의 거대한 신전들과 도시들을 건설하지 못했을 것이다. 간단히 말해서, 모세의 사람들이 없었다면 파라오라는 지위도 없었을 것이라는 말이다. 모세는 파라오와 자기 백성들을 설득할 더 많은 증거들이 필요했다. 즉, 나의 이 사명은 유일신이신 하나님으로부터 직접 받은 사명이라는 증거, 또는 그것이 하나님의 의지라는 증거 말이다.

"그러자 모세는 하나님께 말했다. 내가 이스라엘 사람들에게 가서, 너희들의 하나님이 나를 보내셨다고 말할 때, 그들이 그의 이름이 무엇이냐?라고 한다면, 제가 어떻게 대답해야 합니까?" - 출3:13

이름에는 큰 권능이 있다. 그것은 어느 특정인을 지칭할뿐더러 그를 다른 사람들과 구별해내기도 하지만, 다른 어떤 문화권에서는 이름이 곧 그 사람의 신분을 나타내기도 한다. 즉, 이름이 어느 한 개인의 가장 핵심을 포함한다고도 할 수 있다. 모세가 자기 동족들에게 어떤 이름을 대야 그들이 자신의 말을 진실로 받아들일까 하고 물어 온 것은 사실 매우 의미심장한 질문이라고 할 수 있다. 그 이름은 열정과 헌신을 나타내는 것이어야만 하고, 모든 만물의 창조주라는 가치를 포함해야만 하며, 이 우주에 오직 하나인 존재를 상징해야만 했다. 따라서 매우 까다로운 질문이었다. 어떤 이름이 이 모든 권위와 힘을 포함하며 하나님의 신비와 매력을 모두 나타낼 수 있을까?

"하나님이 모세에게 이르시되 나는 스스로 있는 자니라. 또 이르시되 너는 이스라엘 자손에게 이같이 이르기를 스스로 있는 자가 나를 너희에게 보내셨다 하라.*" - 출3:14

"나를 너희에게 보내셨다?" 이 말씀은 바로 불붙는 덤불 앞에서 모세가 하나님과 처음으로 대면할 때 하나님께서 하셨던 말씀이라는 사실을 기억하라. 모세가 그 사실을 알았건 몰랐건 간에 그는 그 순간 하나님의 권능이 자기에게 임함을 스스로 느꼈으며, 하나님도 그것을 기뻐하셨다.

사실 모세가 하나님의 이름을 파라오와 온 이스라엘 백성들 앞에 선포하였을 때, 그의 주변에는 수많은 이적(異蹟)과 기사(奇事)들이 일어났다. 차츰차츰 모든 이스라엘 백성들은 이집트의 압제로부터 벗어나서 자유로워져야만

---

*[역자 주1] 한글 성경에서는 "I AM THAT I AM" 혹은"I AM WHO I AM"을 "나는 스스로 있는 자니라"로 번역하였다.

한다는 모세의 사상에 길들여지기 시작하였다. 하나님의 이름으로 뒷받침되는 이러한 요구의 강력함은 파라오조차도 거부할 수 없는 것이 되어, 결국에는 그도 여기에 동의하는 것 말고는 다른 선택이 없게 되었다. 마침내 하나님의 백성들은 그들의 모든 꿈이 실현될 약속된 새 땅으로 향하도록 허락받은 것이다.

그런데 바로 여기에 우리들이 지금 대답해야만 하는 질문이 있다. 하나님의 이름으로 선포된 모든 권능과 힘을 스스로 목격하였음에도 불구하고, 왜 이스라엘 백성들은 오랫동안 그 권능을 숨겨 놓고 그것을 다시 사용하지 않았을까? 지난 수천 년 동안, 사람들은 모세에게 주어진 그 신성한 이름을 입 밖에 내서는 안 된다고 믿어왔다. 그것은 말할 수 없는 것이 되었고, 그 큰 권능은 계속 꽁꽁 숨겨진 채 세상 밖으로 나올 수가 없었던 것이다. 지금까지도!

이제 당신은 어떻게 모세의 코드가 채워져 있는 자물쇠의 빗장을 풀 수 있는지를 배우게 될 것이다. 그러면 당신은 본인이 원하는 모든 것을 얻을 수 있게 될 것이다. 이것이 가능하리라고 믿는가? 당신도 모세처럼 행동하려는가? 그래서 더 많은 증거를 보여 달라고 할 것인가?

"바로 그렇다."라면, 나는 이제라도 그 모든 것들을 당신에게 줄 만반의 준비를 할 것이다.

2장. 하나님으로부터 받은 선물

이제 모세가 하나님과 즐겼던 대화를 당신이 나눌 차례이다. 나는 그것이야말로 당신이 이 세상에서 받아야 할 모든 것들을 당연히 받는데 필요한 열쇠라고 생각한다. 당신은 시금까지 부족하게 사는 게 당연하고, 그리고는 늙고 병들어서 죽어야만 한다고 생각했을 것이다. 만약 당신이 이런 부정적인 것들을 원하지 않았다면, 도대체 왜 그런 것들을 지금까지 경험하면서 살아왔어야 했을까?

당신이 필요한 모든 것들을 충분히 누리면서 살도록 창조되었다는 사실은 참으로 받아들이기 어려운 것임에 틀림없으리라. 그러나 일단 그 사실을 받아들이면, 당신은 풍요로워지고, 행복해지고, 완전히 균형 잡힌 삶을 살게 될 것이다. 바로 그 이유 때문에 당신이 여기 있는 것이다. 그것이 바로 당신이 이 책을 읽는 이유이기도 하다.

이제 당신은 지금껏 가슴 속의 희망으로부터 분리시켜 놓았던 그 철문을 과감히 열어 제치고 밖으로 나갈 때이다. 이제 막 모세의 코드가 열리려 하고 있다. 그렇지만 다음 경고를 스스로 입증하지 못하면 자신의 임무를 태만히 하는 결과가 될 것이다.

"일단 당신이 이 문을 열면, 그 문은 다시 닫히지 않을 것이다."

바로 지금 이 순간부터 당신은 자신이 지금껏 꿈꾸어 오던 모든 것들을 이룰 수 있는 열쇠를 가지고 있다는 사실을 깨닫게 될 것이다. 만약 이 선물을 받지 않기로 결정했다면, 그것은 당신 자신의 결정일 뿐 다른 어느 누구의 잘못도 아니다.

이 점을 또한 명심하기 바란다. 이제 당신이 막 얻으려고 하는 도구는 당신의 이해력의 범위를 훨씬 능가하는 매우 강력한 도구가 될 것이라는 사실 말이다. 여기에 사용되는 단어들은 단순하게 보일지도 모른다. 그러나 그것들은 당신의 창조적인 생각들을 가두어 두었던 에너지 창고의 문을 열어 줄 것이다. 말 그대로 당신은 하나님에 의해서 창조되었기 때문에 하나님께서 소유하고 계신 자질들을 모두 소유하고 있다. 마치 육신의 부모에게서 모든 유전인자들을 물려받은 것처럼 말이다.

과학자는 한 인간의 DNA를 연구하여 누가 그의 또는 그녀의 자녀인지를 구별해 낼 수가 있다. 바로 이러한 원리는 하나님에게도 그대로 적용된다. 당신은 이제 당신의 영혼 속에 있는 코드를 탐색하려고 하는 단계에 와 있다. 그리고 그렇게 함으로써, 당신은 하나님이 창조한 모든 힘과 능력을 소유한 하나님의 자녀라는 사실을 깨닫게 될 것이다.

일신론(一神論) vs 다신론(多神論)

모세가 하나님의 이름을 물어 보았을 때, 그는 처음에 수수께끼 같은 대답을 들었다. 그것은 하나님의 특성을 나타내는 보통의 대답이 아니라, 하나님의 현존을 암시하는 언명이었던 것이다. 하나님은 말씀하셨다.

"I AM THAT I AM*"

그리고는 사람들에게 다음과 같이 말하라고 모세에게 명령하셨다.

---

*[역자 주2] 성경에는 "I AM THAT I AM"이 "나는 스스로 있는 자니라" 라고 번역되어 있으나, 모세의 코드에서는 "I AM THAT / I AM"으로 읽으며 "내가 그것이다 / 내가"라는 의미로도 쓰인다. 즉, 신 스스로 모든(that이 가르키는) 존재임을 암시한다.

"내 스스로가 나를 너희들에게 보냈노라."

이 말은 당시의 논쟁을 푸는 열쇠가 될 것이다. 그 당시 이집트 사람들이 믿었듯이, 과연 많은 신들이 있었는가? 아니면 히브리 사람들의 신앙의 근거인 유일신만이 존재하였는가?

이러한 개념이 이집트에 등장한 것은 그때가 처음은 아니었다. 기원 전 1375년부터 1358년까지, 파라오는 과거의 여러 잡다한 신들을 모두 부정하고 오직 유일신인 태양신 아론만을 숭배하며 이집트를 통치하였다. 모세가 기원전 1300년에 살았다고 보기는 어려우므로, 이집트인들은 이미 유일신 사상이 지배하던 사회 속에서 생활하였다고 보는 것이 타당할 것이다.

"I AM THAT I AM"이라고 한 이 진술, 또는 이름은 히브리인들과 이집트인들에게 진정으로 하나님이 존재하며, 그 이름을 말할 때 실질적인 힘이 있다는 것을 알려준다. 모세는 3대 유일신교가 선조로 모시는 아브라함 보다 영향력이 있었다. 모세는 이미 하나님의 이름을 알고 있었으나 아브라함은 그렇지 못했기 때문이다.

출애굽기 6장에서 하나님은 모세에게, 창조주가 아브라함에게 나타났을지라도 아브라함에게는 이름을 알려준 적이 없다고 말한다. 그러나 그 이름으로 모세는 하나님으로부터 이 세상에서 가장 강력한 통치자에게 맞서서 그의 백성들을 이집트의 노예상태에서 해방시킨다. 파라오 입장에서는 말도 안되는 모세의 노예 해방 요구를 관철시킨 그 힘은 과연 무엇이었을까?

"기적!"

하나님의 이름을 사용하여 모세는 여러 가지 기적을 일으키고 보여 줄 수가 있었다.

- 지팡이를 뱀으로 변하게 할 수 있었다.
- 나일 강을 피로 넘치게 할 수 있었다.
- 개구리, 이, 파리, 메뚜기로 인한 재앙, 그 밖에 다른 가공할 역병을 불러 올 수 있었다.
- 이집트인들의 처음 난 장자들을 모두 죽일 수 있었다.
- 홍해를 가르고 추격해오던 이집트 군대를 모두 궤멸시킬 수 있었다.

이 정도면 누구에게나 충분한 증거가 되었으리라 믿는다. 결국 이런 우여곡절을 모두 겪은 후에, 모세와 히브리인들은 그들의 약속된 땅을 찾아서 떠날 수 있었다.

이제 당신은 모세가 했던 것처럼, 당신의 위대한 꿈을

찾는데 하나님의 이름을 사용하게 될 것이다. 당신이 이제부터 배우게 될 과정은 당신의 힘과 하나님의 힘을 일직선상에 나란히 놓아서 당신으로 하여금 원하는 모든 것을 얻게 하는 권능을 주는 것이다.

"그렇다, 권능이다!"

이 단어가 바로 핵심이다. 그것이 없다면 이 우주의 무한한 에너지가 그저 당신 앞에서 잠만 자고 있을 수밖에 없기 때문이다. 그렇지만 하나님의 이름과 성령께서 주시는 권능이 그 에너지들을 살아 숨 쉬게 하면, 그것들은 용수철처럼 튀어나와서 당신을 하나님의 동반자처럼 생각하게 되고, 당신의 명령에 즉각 따르게 될 것이다.

연습 1: 모세의 코드의 기초

당신의 삶에서 가장 끌어당기고 싶은 것은 무엇인가? 이것이 당신 앞에 놓인 첫 번째 단계이다. 당신은 가슴속에서 요구하는 대로 작은 것부터 출발할 수도 있다. 모세의 코드는 성취의 난이도를 구분하지 않기에, 당신이 어떤 것을 요구하든 그것은 전적으로 당신의 자유의사에 달려 있다.

모세의 코드는 모든 것을 동일하게 다룬다. 당신은 하나님과 연장선상에 있다. 그러므로 당신이 원하는 모든 것은 다 당신에게 주어진다고 보는 것이 훨씬 더 합리적인 생각이다. 일면 이런 생각은 상상의 비약으로 보일지도 모르겠으나, 당신이 연습을 거듭해 나갈수록 내 말이 사실이라는 점을 깨닫게 될 것이다.

재정적으로 풍요로움을 선택했는가? 아니면 좋은 관계유지를 선택했는가? 그것을 종이 위에 적어서 당신이 잘 볼 수 있는 곳에 놓아두어 자신의 목표가 무엇인지를 명확히 인식하게 하라. 이제는 당신이 혼자만의 시간을 가지고 느긋하게 있을 수 있는 장소로 가라. 처음에는 이 연습을 아주 짧은 순간만 하도록 하라. 그러나 곧 그것은 당신의 습관이 될 것이고, 어느 사이에 하루 종일 그것을 활용하고 있는 당신 자신을 발견하게 될 것이다.

일단 당신 혼자서 온 몸의 긴장을 풀고 최대한 편안한 자세로 숨을 깊이 들이쉬라. 눈을 크게 뜨고 그 종이를 당신 앞에 놓고 그것을 보면서 소리쳐라.

"I AM THAT(내가 그것이다)*"

숨을 내쉬면서 이 말을 반복하라.

"I AM THAT(내가 그것입니다)"

그리고 숨을 들이쉬면서 이렇게 외쳐라.

"I AM (내가)"

다시 한 번 반복하라.

"I AM (내가)"

앞에 놓여 있는 종이를 바라보면서 숨쉬기와 말하기 운동을 계속 반복하라. 이 때 당신이 원하는 것이 무엇이든간에 "그것을 이미 다 가지고 있다."라는 느낌을 갖는 것이 매우 중요하다. 숨쉬기와 소리 내어 말하기를 계속 반복하라. 그러면서 속으로 이렇게 생각하라.

"나는 이미 필요한 모든 것을 다 이루었다."

이제 당신이 한 행동에 대해서 설명하겠다. 당신이 "I AM THAT(내가 그것이다)"라고 말하면서 밖으로 숨을 내쉬었을 때, 당신은 원하는 상태에 들어가 있다는 것을 의미한다. 이때에 당신은 원하는 것과 별개가 아니며, 그것과 혼연일체(渾然一體)가 되었다는 점을 스스로에게 확인시켜 주는 것이다. 다른 말로 하면, 당신은 자신이 누구인가에 대한 정의를 더 확장하여, 당신이 원하는 것은 모두 받게 된다는 감정을 스스로에게 주입시키고 있는 과정이다.

원하는 것과 당신이 하나라는 이 주장은 단지 명백한 진실을 밖으로 표현한 것에 지나지 않는다. 사실 당신은 어떤 것과 분리된 존재가 아니다. 모든 것을 지배하는 하나님에 의해 그분과 동일선상에 놓여있는 것이다. 이 말이 의미가 없다고 생각하는가? 아마도 당신의 논리적인 마음으로는 선뜻 받아들이기가 어려울 수도 있으리라. 그러나 당신의 영혼은 이 진리를 잘 알고 있으며, 이것이 바로 모세의 코드가 작동하는 원리인 것이다.

이것은 마치 당신이 결국에는 마음의 지시가 아니라, 영혼의 인지에 따라서 행동한다는 의미가 되는 것이다. 마음은 모든 것을 하나의 독립된 개체로 보지만, 영혼은 그것을 그 원천과 아주 친숙하게 연결된 것으로 본다.

당신이 숨을 들이쉬면서 "I AM(나는)"라고 외칠 때, 이것이 하나님이 당신에게 필요한 모든 것을 다 이루어주시는 응답이라는 상상을 하라. 당신이 하나님에게 "I AM THAT(내가 그것입니다)"라고 말하면, 하나님은 "I AM(나는/나도 그것이다)"라고 응답하신다. 이제 하나님의 이름은 당신의 모든 삶 속으로 순환하며, 당신이 그토록 간절히 원했던 것들을 아주 쉽게 당신에게 끌어다주는 것이다.

다음 설명에 주의를 집중하기 바란다. 만약 당신이 마음의 한계를 인식하면서도 지금까지 설명한 원리를 이해하였다면, 당신은 자신의 꿈을 이루기 위해서 하나님의 이름을 사용하는 능력의 비밀을 깨달은 것이다. 당신이 하나님께 "I AM THAT(나는 그것입니다)"라고 말할 때, 하나님은 당신에게 "YOU ARE(너는 그것이다)"라고 대답하지 않으시고, "I AM(나는/나도 그것이다)"라고 대답하신다.

다른 말로 표현하면, 하나님은 당신을 통하여 "만약 네가 무엇이든지 구하면, 나 역시도 그것을 구하겠다. 왜냐하면 우리 둘은 하나이기 때문이다."라고 말씀하시는 것이다. "I AM THAT I AM"이라는 말은 종전의 두 개의 서로 떨어진 단어의 집합에서, 이제는 하나의 문장이 되어 버렸다. 그렇게 말씀하시는 이도 하나님이시고, 대답하시는 이도 하나님이시다.

그러면 하나님 스스로 우리들에게 무엇을 주시는가?

"모든 것을!"

이제 당신은 모세의 코드의 기초단계를 이해하였다. 당신이 그것을 꾸준히 연습하고 그 결과를 경험하게 되면, 당신은 그 옛날 모세와 이스라엘 백성들이 했던 것처럼, 하나님의 이름이 가진 그 엄청난 힘에 놀라게 될 것이다.

당신의 삶 속에서 자연스럽게 나타나게 될 그 기적은 우리들 인류가 일찍이 알지 못하고 경험해보지 못한 엄청난 기적이 될 것이다. 그것이 홍해를 가르는 기적만큼 엄청난 것일까? 물론이다. 하나님에게는 작은 기적에 불과할지라도, 그것은 세상을 변화시키고도 남는 것임에 틀림없기 때문이다.

영원성은 크고 작음을 구분하지 않기 때문에 기적의 크고 작음은 전혀 문제가 되지 않는다. 그런 것을 구분해 내는 것은 오직 마음이 관여할 문제이지만, 모세의 코드는 마음으로부터 일탈하여 영혼으로 작동하기 때문이다.

이전에 나는 당신이 원하는 것을 이미 다 가진 것처럼 느끼는 것이 매우 중요하다고 강조하였다. 이것이야말로 모세의 코드의 가장 핵심이라고 할 수 있다. 하나님은 당신이 삶 속에서 필요한 바로 그것을 주시기 때문이다. 그러나 불행하게도 우리들은 자신이 필요치 않은 것을 구하는 실수를 범하고 있다. 그러면 하나님께서는 그것마저도 주신다. 왜냐하면 그것이 바로 당신이 구한 것이기 때문이다. 하나님의 신성한 에너지는 당신이 디자인한 방향으로 흐른다. 그러므로 무엇을 구할 때, 그것이 자신에게 진정으로 필요한 것인지, 지금까지 간절히 원하던 것인지를 분명하게 해 둘 필요가 있다.

그런데 만약 우리들이 "갖고 있지 않다."는 느낌을 갖게 되면 어떻게 될까? 당연히 하나님도 '갖지 않는' 쪽으로 반응하시게 된다. 이 말은 곧 당신의 선택 여부에 따라 자신의 인생이 바뀌게 된다는 의미이다. 당신이 어떤 선택을 하느냐에 따라 당신은 풍요로운 인생 항로로 들어갈 수도 있고, 고난과 역경이 기다리고 있는 길로 들어갈 수도 있다는 사실을 명심하자.

연습 2: 원하는 것을 끌어 오기

삶 속에서 끌어오고 싶어 하는 것들의 리스트를 만들라. 그중 하나, 가장 절실히 요구되는 것을 뽑으라. 어떤 것이 당신을 가장 미치게 만드는가? 어느 것이 당신을 가장 감동시킬 것 같은가? 당신은 정말 그것을 이용하여 모세의 코드를 시험해보고 싶은가? 그것이야말로 이 기술을 실제로 적용해보는 첫 번째 케이스가 될 것이다. 만약 준비가 되었다면, 당신 혼자만 있을 수 있는 조용한 장소를 찾아내라. 마음을 느긋하게 하고 최대한 편안하게 하라.

이제 영화관에서 당신의 인생이라는 영화를 보고 있다고 상상하라. 당신은 자신의 미래라는 영화 중에, 당신이 선택한 미래의 어느 한 장면을 보고 있다. 그것을 가능한 한 아주 상세하게 시각화하라. 다른 사람들이 당신과 함께 있는가? 그들이 무어라고 하는지 그들의 대화에 최대한 집중하며 자세히 귀를 기울여 들어보라. 가능하다면 아주 사실적으로 말이다.

이제 숨을 깊이 들이마시고 그 장면 속으로 뛰어 들어가고 있는 당신을 상상하라. 당신은 더 이상 관객이 아니다. 그 장면 속에서 살고 있으며, 그 장면의 모든 감정들이 연결되어 있는 사람이다. 만약 완벽한 교우관계를 끌어당기고 싶다면, 당신이 자신의 소울 메이트와 함께 있다고 생각하고, 그 순간에 적합한 사랑과 감사의 마음을 품어보라. 그 장면에 몰입하는 것이 매우 중요하다. 당신의 모든 에너지를 다 투입하여 그 장면을 "소유하고 있다."는 느낌을 가져야 한다.

그 장면을 계속 경험하면서, 모세의 코드의 연습을 시작하라. 숨을 내쉴 때, 당신이 이미 그 목표 자체가 되었다는 느낌을 갖고, "I AM THAT(내가 그것입니다)"라고 크게 말하라. 이제는 심호흡을 하면서 "I AM(나는/나도)"이라고 말하라. 동시에 하나님이 당신을 동해 그것을 요구하신다고 의식하라. 그 비전을 상상하며 읊조림을 계속 반복함으로 해서 에너지가 점점 더 강해지도록 만들라. 그 소울 메이트와 내가 하나가 되어 있는 장면이 화면을 가득 채울 때까지 "I AM THAT"과 "I AM"를 반복하여야 한다.

이제 당신이 필요한 모든 것은 다했다. 당신의 에너지

와 감사하는 마음만이 당신이 공급해야 할 영양분들이다. 이제까지 온 것만 가지고도 모세의 코드는 충분히 당신 안에 존재할 가치가 있는 것이다.

[역자 주3] “I AM THAT I AM”은 다층적 의미를 내포하고 있는 바, 모세의 코드를 실천할 때, 영어로도 말해 볼 것을 권한다.

출애굽기 3:14 일부:
“나는 스스로 있는 자니라” - 한글 성경(아가페)
"I AM THAT I AM” - King James Version
“I AM WHO I AM” - NIV

제3장 람세스 대왕

어떻게 모세가, 모든 사람들의 기억 속에서조차 사라져버린 그가, 이 세상에서 가장 강력한 힘을 가진 사람 앞에 서서 감히 히브리 민족을 그 고된 압박과 고통에서 구해낼 수 있었을까? 파라오가 휘두르던 세상의 힘과 모세가 권능을 얻어 사용했던 하나님의 에너지 사이에는 어떤 차이가 있었던 것일까?

여기서 우리는 모세가, 이집트의 왕족으로서 존경과 편안함을 한 몸에 누리며 살았던 그가, 유랑 길에 올라서 40년 동안 양떼를 돌보며 살았다는 사실을 주목할 필요가 있다. 만약 그가 궁정을 떠날 때가 20세 정도였다면, 불타는 떨기나무 앞에서 하나님을 대면한 때는 그의 나이 60세가 되어서였을 것이다. 그것은 오늘날 우리들의 관점으로 보면 별로 대단한 일이 아닌 것처럼 보일 수도 있다. 그러나 그 당시 남자들의 평균 수명이 45세 정도였다는 사실을 생각해 보라. 이 말은, 오늘날의 관점에서 보면, 당시 모세는 90세도 훨씬 넘은, 노인 중에서도 아주 늙은이였다는 말이 된다. 누구라도 그런 나이에 그런 엄청난 일을 하고 영향력을 행사하기에는 무리라고 보는 것이 타당할 것이다.

반면에 파라오는 세상의 모든 권력과 향락을 누리며 살고 있었다. 지금 이 시점에서 당시의 이집트를 통치한다는 것이 구체적으로 어떤 일이었는지를 상상하기란 사실상 쉽지 않다. 그러나 수많은 불가사의한 고대 건축물들이 그의 통치기간에 건설되었다는 사실 하나만으로도, 당시의 파라오는 왕 중의 왕이라고 불러도 전혀 손색이 없을 것이다.

이 중요한 인물에 대하여 더 깊이 고찰해 보자.

람세스2세 또는 람세스 대왕이라고 불리는 이 인물은 이집트 역사상 가장 훌륭한 통치자로 꼽힌다. 그는 아주 정교하게 고안된 도시를 건설하였으며, 거대한 신전들을 건축하였고, 수차례의 정복전쟁을 통하여 이집트왕국을 동방의 거대한 제국으로 만들어 놓은 사람이다.

그는 기원전 1302년에 태어나 91세나 92세에 사망한 것으로 추정된다. 그가 99세까지 살았다고 주장하는 역사학자들도 있지만, 그건 아무래도 지나친 추측인 듯하다. 많은 사람들은 그가 20세 전후에 왕국의 통치권을 물려받아 기원전 1279년부터 1213년까지 무려 66년간을 통치한 것으로 보고 있다. 이러한 사실은 람세스가 왕족의 일원으로 살고 있을 때 이미 모세를 알고 있었다는 추측을 가능케 해준다. 그러나 모세가 히브리인의 뿌리라는 사실을 알고 있었는지의 여부는 여전히 불투명하다.

람세스 대왕은 그의 생전에 위대한 업적을 많이 달성하였다. 그가 죽은 지 3,200년이 지난 현재에 와서도 그는 여전히 역사상 가장 위대한 통치자의 한 명으로 간주되고 있다. 그가 왕권을 확립한 카데쉬 전투 이전에 그의 일은 대부분 사원이나 기념탑이나 도시들을 짓는 공사를 감독하는 일에 국한되었다. 그는 히타이트와의 전쟁에 대비하여 나일델타 지역 상류에 피람세스라는 거대한 도시를 건설하였다. 피람세스라는 도시는 힉소스의 수도인 아바리스의 유적지 위에 세워졌다. 여기에는 셋사원도 함께 세워졌다. 람세스 대왕에게 있어서 피람세스는 매우 성스러운 도시였다. 그 이유는 그가 거기서 셋, 리, 아문과 같은 신들의 성스러운 힘은 물론, 아버지 세티의 강력한 왕권을 물려받았기 때문이었다.

다른 말로 하면, 람세스는 여러 신들의 힘에 깊이 심취

되어 있었는데 이는 유일신을 믿고 있는 이스라엘 사람들의 입장에서는 도저히 받아들일 수 없는 사상이었다. 그러나 이런 논쟁과는 상관없이, 후세 사람들은 람세스 대왕을 이집트의 모든 권력과 위엄을 한 몸에 지닌 인물로, 심지어는 신의 경지에까지 올라간 인물로 평가하고 있다.

모세가 화려한 궁전을 찾아와서 람세스 앞에 섰을 때 대국의 통치자인 그가 어떤 생각을 했을지 상상해내기란 그리 어렵지 않다. 아마도 어린 시절 함께 궁정에서 지냈던 때의 기억들을 더듬어 내서 모세를 알아보았을 수도 있었을 것이다. 모세가 왕족의 신분을 잃어버리고 먼 곳으로 도망쳤다는 이야기와 그 이후로는 더 이상 소식을 들을 수 없었다는 사실을 떠올렸을지도 모른다. 확실한 것은, 모세가 앞에 섰을 때 그는 전혀 동요하지 않았다는 사실이다. 왜냐하면 람세스는 거대한 제국의 통치자니까.

모세는 의심의 여지없이 양치기의 복장 그대로 파라오 앞에 섰을 것이며, 람세스는 마치 신과도 같은 엄숙한 복장으로 앉아있었을 것이다. 모세는 단지 노예에 불과한 이스라엘 백성들을 위해서 파라오 앞에 섰다. 반면 파라오는 문명세계를 대표하는 모든 권위와 위엄의 상징으로 권좌에 앉아 있었다. 어쩌면 모세는 감히 그 앞에 서 있을 수조차 없었는지도 모를 일이다.

"그러나 일은 그런 식으로 진행되지 않았다."

람세스가 확신에 차 있는 것과는 대조적으로 모세는 아직도 모든 것이 불안하기만 했다. 파라오의 면전에 섰을 때, 그는 자기 백성들의 꿈이 이루어질까 여부는 고사하고, 자기 자신의 생명조차도 이제 끝나야하나 하고 불안해했을 것이다. 그가 처음 이집트를 탈출했을 때, 그는 겨우겨우 자기의 목숨만큼은 보존할 수가 있었다. 그러나 수십 년이 지난 지금에 와서 그는 하나님의 강제적인 명령에 의하여 이집트로 돌아와야만 했던 것이다. 파라오의 위엄과 권위는 모세로 하여금 자신의 결정이 경솔했음을 후회하게 했을 것이다.

그러나 다른 시나리오의 가능성도 있다. 모세가 하나님의 결정에 따르기로 한 데에는, 마지막에는 결국 자신이 승리하게 될 것이라는 확신이 있었다는 가정 말이다. 하나님은 그에게 하나님의 이름으로 권능을 줄 것이며, 그는 자기가 그 권능을 믿고 나간다면 틀림없이 승리할 수 있다는 사실을 확실히 믿었을 것이다.

모세가 여행을 떠나기 전에 그 코드의 능력을 시험해 보았을까? 만약 그래서 하나님의 이름 속에 숨겨진 놀라운 능력을 직접 체험해 보았다면, 그는 분명 당당하고도 확신에 찬 모습으로 람세스 앞에 섰을 것이다.

그렇게 확신에 찬 모세 앞에 파라오는 어떻게 반응했을까? 모세가 즉각적으로 징벌을 받거나 죽음을 당하지 않았다는 사실만 보더라도 파라오는 적어도 어느 기간만큼은 모세를 환대했을 가능성이 있다. 파라오라는 명성과 권위가 모세의 신비로움을 희석시킨 것이다. 만약 그렇지 않았더라면, 파라오는 어느 정도 모세를 신비에 싸인 인물로 보았을 것이다. 모세가 그저 그런 인물로 밖에는 보이지 않았기 때문에 람세스는 이스라엘 백성들을 해방시켜주는 일을 거부하였던 것이다.

모세는 파라오에게 이스라엘 백성들을 중노동에서 쉬게 하고 사막으로 가서 그들의 신인 하나님께 제사를 드릴 수 있게 해 달라고 간청했다. 람세스는 그런 요청에 놀랐으며, 그의 요구를 들어주는 대신 그와 정반대로 행동을 했다. 그때까지만 해도 이집트 관리들은 이스라엘 노예들에게 그들이 정해진 양의 벽돌을 만들기에 충분한 양의 밀짚을 제공해 주었다. 람세스는 모세에게 누가 통치자인가를 분명히 보여주기 위하여, 이스라엘 백성들에게 앞으로는 필요한 양의 밀짚을 스스로 조달하여 쓰라고 하면서도 하루의 작업량은 감하지 않았다.

여기에 굴하지 않고 모세는 하나님의 의지가 반드시

이루어져야만 한다면서 파라오를 끈질기게 압박하였다. 이제는 하나님의 의지와 파라오의 권력이 충돌할 수밖에 없음을 단호히 선포해야 할 때가 되었음을 알았다. 결국은 파라오가 모든 것을 잃게 되었지만.

만약 이게 서구 사회에서 있었던 일이라면, 바로 이 시점이야말로 승부수를 던져야 할 때였다. 이 순간을 위해서 모세는 자기의 지팡이를 뱀으로 변하게 하거나 강물을 피로 변하게 하는 것과 같은 여러 가지 마술을 미리 연습하고 갈고 닦아야만 했다. 그러나 모세는 그런 사전 준비를 하지 않았다. 그 모든 기적은 파라오의 궁전에서 파라오의 마술사들이 가득히 있는 가운데서 행해졌다. 파라오의 면전에서 모세가 형 아론을 통하여 지팡이를 던져 뱀을 만들자 파라오의 술객들도 그와 똑같은 마술을 부렸다. 그러나 아론의 지팡이가 파라오의 뱀들을 모두 삼켜버리고 말았다. 이러한 경쟁은 계속되었다.

비록 파라오의 마술사들도 모세의 능력을 그대로 따라 할 수는 있었으나, 그들이 게임에서 졌다는 사실은 이제 분명해졌다. 일련의 역병이 이집트 땅을 뒤덮었는데 이것도 하나님의 위대하신 이름을 빌어 모세가 행한 기적이었다.

성경의 출애굽기(Exodus)에 기록된 기적들은 다음과 같다.

- 나일 강의 강물이 온통 피로 변한 사건(7:14 ~ 25)
- 개구리의 재앙(8:1 ~ 15)
- 이의 재앙(8:16 ~ 19)
- 파리의 재앙(8:20 ~ 32)
- 가축에 내려진 재앙(9:1 ~ 7)
- 치료할 수 없는 역병의 재앙(9:8 ~ 12)
- 우박과 불의 재앙(9:13 ~ 35)
- 메뚜기 떼의 재앙(10:1 ~ 20)
- 흑암의 재앙(10:21 ~ 29)
- 장자의 죽음(12:29 ~ 36)

점차 파라오는 자기가 지금껏 한 번도 경험해 본 적이 없는 엄청난 힘 앞에 맞닥뜨려 있음을 알게 되었다. 딱 한 번, 개구리로 인한 재앙이 온 이집트를 덮쳤을 때, 파라오는 모세의 요구대로 이스라엘 백성들을 사막으로 가게 하여 그들이 원하는 제사를 드리도록 허용하였다. 그러나 개구리들이 모두 죽어버리자 곧 그 마음이 돌변하여 불같이 화를 내며 자기가 한 약속을 거두어들였다. 파라오의 이 결정은 결국 그에게 가장 큰 징벌을 초래하고야 말았다. 바로 이집트의 모든 장자들이 갑자기 원인 모르게 모두 죽어버리는 엄청난 사건이 발생한 것이다.

이 마지막 일격이 파라오에게 결정타를 날렸다는 것을 알고 있지만, 우리들은 여기에서 한 가지 중요한 질문에 대답하여야만 한다. 모세는 하나님의 막강한 힘을 이용하여 수없이 많은 이집트인들을 죽이면서까지 자기 백성들을 구출해 낸다.

구약성서에 나타난 하나님

우리들 자신에게 던져야 할 질문이란 바로 이것이다. 즉 성경에서 묘사된 모세와 이스라엘 백성들의 궁극적인 승리는 정확하게 기록된 것인가? 아니면 이스라엘 민족이 유일신이신 하나님의 선택된 백성이란 사실을 뒷받침하기 위하여 일부러 아름답게 꾸며낸 이야기인가?

우리들이 성경에서 읽는 하나님은 질투하시는 하나님이요, 당신의 백성이 무시당하면 결코 참지 못하고 보복하시는 하나님이나. 이러한 성품은 현대인들이 알고 있는 무조건적이고 자비로우신 하나님이라는 인상과는 정면으로 배치된다. 이 책에서 나는 하나님의 이러한 두 성품들을 혼합하여 사용하였다. 때로는 한없이 자비로운 하나님의 모습으로, 또 때로는 가차 없이 보복하시는 하나님의 모습으로. 그렇다면 과연 어떤 묘사가 진실에 가까울까?

우리들은 모세의 이야기가 얼마나 진실에 가까운지 알 방법이 없다. 과학자들이나 신학자들, 또는 성서학자들이 오랜 기간 동안 이 숙제를 풀어보려고 노력해 왔지만, 내가 지금 내릴 수 있는 결론은, 이 문제는 다음 세대에게 풀어야 할 숙제로 넘겨주는 게 좋겠다는 생각이다. 내가 여기서 주목하려고 하는 핵심은 훨씬 더 중요하고 의미심장하다. 즉, 그 스토리의 사실 여부를 떠나서, "모세의 이야기는 오늘 우리들에게 무엇을 가르쳐주려고 하고 있느냐?"하는 질문 말이다.

그 교훈은 내가 생각하기로는, 모세와 이스라엘 백성들이 그 신성한 이름의 힘을 빌어서 그들의 목적을 달성하고 우리들에게 보여 준 '우리와 하나님의 하나됨'을 깨닫게 해 주려고 하는 게 아닌가 싶다. 지금 우리들은 지난 수천 년 동안 신비에 쌓여 있던 하나님의 이름이 가지고 있는 비밀을 막 이해하려고 하는 초기 단계에 와 있다.

이러한 신비는, 하나님의 이름 뒤에 놀라운 능력이 숨겨져 있다는 사실을 암시하는 증거이기도 하다.

토라라고 알려져 있는 구약의 다섯 권의 책에는 최근의 컴퓨터 분석기법이 발명되기 전까지는 알려지지 않았던 메시지가 숨겨져 있었다고 한다. 마이클 드로스닌이 쓴 『바이블 코드』라는 책이 나오자마자 전 세계적으로 관심의 대상이 된 이유는, 토라가 이스라엘의 전 수상 라빈이 저격당할 것이라는 사실을 예언하고 있었기 때문이다. 라빈 수상은 주위로부터 그 비운의 행사장에 참석하지 말 것을 종용받았으나 강행하였고, 결국은 목숨을 잃었다. 좀 더 설명하면, 이스라엘의 평화주의자였던 라빈 총리는 1995년 11월 4일 텔아비브에서 중동평화회담 지지연설 후, 극우파 유대인 청년에게 피살되었다. 영국에서 수학하고 이스라엘 참모총장으로 1964년의 6일 전쟁을 승리로 이끈 그는 두 번에 걸쳐서(1974 ~ 1979, 1992 ~ 1995) 이스라엘 총리를 역임하였다.

그보다 훨씬 이전에 성경의 신비를 탐구한 사람은 만유인력의 법칙을 발견한 아이작 뉴턴 경(1642 ~ 1727)이었다. 그는 이렇게 적었다.

"(…) 성경은 하나님이 만들어 놓은 암호문이다. (…) 하나님 머리에서 나온 수수께끼 문제집으로 과거와 미래 사건들을 영적으로 정리해 놓았다. (…) 그 비밀의 핵심은 요한계시록에 있으며 (…) 다니엘에게 봉인을 하도록 명하셨고, 어린 양이 와서 그 봉인을 뗄 때까지는 계속 비밀 속에 있을 것이다."

토라의 신비는 너무나 광범위하기 때문에 우리들이 지

금도 그 비밀을 하나하나 밝혀 나간다는 것은 전혀 이상한 일이 아니다. 그런데 왜 그중 유독 모세의 코드만이 그 오랜 기간 동안 간과되어 왔을까?

토라의 두 번째 책인 출애굽기는 이스라엘 백성들이 이집트로부터 탈출하여 약속된 땅에 들어가는 과정을 기술해 놓았다. 장장 40년간에 걸쳐 이룩된 이스라엘 민족의 대장정은 모세가 하나님의 다른 이름, 즉 "I AM THAT I AM"을 반복하여 자극함으로써 이룩한 기적에 힘입어 후계자인 여호수아에 의해 달성된다. 중요한 점은, 정통 유대인들이 그 이름을 거룩히 모셔두었다거나 또는 오직 사원에서만 그 이름을 부를 수 있었다는 사실만을 보더라도, 그 이름에 진정한 권위를 부여해 주기에 충분하다고 하겠다.

다른 한편으로는 두 개의 다른 종교인 기독교와 이슬람교가 아브라함이라는 하나의 뿌리에서 태어났음에도, 정작 그 뿌리인 아브라함이라는 이름은 크게 주목을 받지 못하였으나, 지금까지도 더욱 더 왕성한 주목을 받는 다른 하나의 이름이 있으니, 그 이름은,

"예수 그리스도!"

요한복음 8장 58절에서 예수님은 이렇게 말씀하신다.

"유대인들이 가로되 네가 아직 오십도 못되었는데 아브라함을 보았느냐, 예수께서 가라사대, 진실로 진실로 내가 너희에게 이르노니, 아브라함이 나기 전부터 내가 있느니라 하시니" - 요8:57 ~ 58

아브라함 이전에 내가 있었다고(Before Abraham was born, I am.) 선포함으로써, 예수님은 당신이 하나님과 같은 '스스로 있는 존재'임을 주장하였고, 이는 서기관들과 바리새인들을 자극하여 그들로 하여금 돌을 들어 치려하는 충동을 유발하였다.

예수님은 단지 하나님의 이름을 언급하지 않으시고 하나님과 같은 존재임을 주장했던 것이다. 유대인 서기관들과 바리새인들에게 이런 행위는 엄청난 신성모독이었다. 왜냐하면, 그들이 품고 있던 하나님에 대한 비전은 감히 어느 누구도 범접할 수 없는 신성한 것이었기 때문이었다. 그래서 그들은 예수님이 홀연히 나타나서 "내가 하나님이다."라고 선언했을 때, 그렇게나 거친 반응을 보였던 것이다.

바로 이것이 모세의 코드의 또다른 핵심이다. 하나님과 우리들이 하나라는 사실을 깨닫는 순간, 우리들은 하나님이 행하셨던 놀라운 기적들을 일으킬 수 있다는 사실 말이다. 바로 예수님이 이와 같이 했을 때, 그가 가는 곳마다 기적이 따라다녔다. 그는 바로 죽음까지도 이기신 하나님의 다른 화신(化身)이었던 것이다. 우리들의 관점에서 죽음까지도 건너뛰는 것과 같은 영원성, 바로 이것이야 말로 모세의 코드의 궁극적인 목적인 것이다. 예수님은 말씀하신다.

"내가 진실로 진실로 너희에게 이르노니, 나의 일을 믿는 자는 나의 하는 일을 저도 할 것이요, 또한 나보다 더 큰 것도 하리니…" -요14:12

이 말이 진실이라면, 기적을 일으킬 수 있는 능력이 우리들 각자의 안에서 잠을 자고 있다는 이야기가 된다. 유명한 영성교재인 『기적의 과정』은, 기적적인 사건들이란 하나님과 우리들의 의식이 일직선상에 잘 정렬되어 있을 때 일어나는 자연적인 현상이라고 설명하고 있다. 즉, 우리들이 흔히 알고 있는 초자연적인 현상이 아니라는 말이다. 예를 들면, 빈틈없이 꽉 찬 주차장에서 주차공간을 찾는 일과, 죽은 사람을 다시 살려내는 일은 같은 원리에 의해서 작동된다는 말이다. 우리 영혼의 정렬, 다른 말로 하면 하나님의 임재가 바로 그 핵심이라는 것이다. 그리고 이것이 달성되면 어떤 기적도 가능하다는 말이 된다.

우리들이 하나님의 이름(I AM THAT I AM!)을 부르면, 우리들은 어느 사이에 알지 못하는 힘에 이끌리어 기적을 창조할 수 있는 힘의 원천으로 인도된다. 그 이름을 부르는 행위는 이 세상과 하늘나라 사이의 다리 역할을 해 주며, 우리들의 영혼을 충만하게 해 준다. 오늘날 우리들은 옛날처럼 신성을 모독했다고 해서 돌에 맞아 죽을 만큼 위험에 처하지도 않는다. 하나님으로부터 이런 선물을 받은 지 수천 년이 지났지만, 특별히 오늘날 그런 능력이 과거 그 어느 때보다도 더욱 절실히 필요한 이유는 무엇일까?

연습 3: 한계점 극복하기

모세는 하나님으로부터 받은 자신의 역할에 대하여 아주 확신에 차 있었지만, 자신의 어눌한 말솜씨 때문에 람세스 앞에 설 자신이 없었다. 모세처럼 우리들도 자신감을 빼앗는 이런저런 결점들을 갖고 있다. 아마 당신도 어렸을 때 그런 이유로 인하여 어려움을 겪은 경험이 있다거나, 아니면 지금도 신체적인 장애를 갖고 고민하면서 살아가고 있을지 모른다.

자, 이제 당신이 가슴 속에 품고 있는 열망을 방해하고 있는 그런 장애요소들을 종이 위에 정리해 보기로 하자. 각각의 장애요소 옆에 다음 장의 연습을 위하여 빈 공간을 남겨두라.

당신 삶에서의 장애요소들에 대한 리스트 작업이 끝났으면, 이제는 그것들을 모세의 코드와 저울질 해 보자. 하나님께서 모세를 사용하셨던 것처럼, 이번에는 여러분들이 하나님의 힘을 이용하는 것이다. 리스트의 각 항목으로 돌아가서 숨을 크게 들이 쉰 다음, 그것들을 천천히 읽으라. 그리고 당신 자신에게 물어보라. 하나님이라면 이것들을 어떻게 이용하여 세계의 평화를 이루실까? 하나님이라면 이것들을 어떻게 이용하여 가정의 화목을 이루실까? 하나님이라면 이것들을 어떻게 이용하여 목적을 달성하실까?

예를 들면 당신이, "나의 아버지는 알코올 중독자이다."라고 썼다면, 그 오른 편에는 이렇게 쓰라. "이 경험은 나에게 다른 알코올 중독자에게 연민을 갖게 해 준다."

그 문장 중에서 가장 중요한 단어 하나를 찾아내라. 내 경우라면 아마도 그것은 '연민'이라는 단어가 될 것이다. 왜냐하면 아버지의 알코올 중독이 나로 하여금 다른 사람들에 대하여 연민을 느끼게 했기 때문이다. 이렇게 해서 당신의 리스트를 계속 점검해 나가라. 그렇게 고른 단어들을 다른 종이에 큰 글자로 옮겨 적어서 쉽게 눈에 띄게 만들라.

이제 모세의 코드로 다시 돌아가자. 당신이 적은 글자들 중 하나를 바라보며 - 당신이 지금까지 '한계'라고만 느껴왔던 장애요소들로부터 추출해 낸 단어이다 - 읊조리기 시작한다. 만약 당신의 단어가 '연민'이라면, "I AM THAT" 이라고 말하면서 숨을 밖으로 크게 내쉬라. 이 때 당신은 연민과 동정 같은 감정들이 마음 속 깊이 가득 찼음을 느껴야만 한다. 이제 가슴 속에 그런 감정들이 가득 채워졌다면, 숨을 크게 들이쉬면서 "I AM"이라고 말하라.

당신의 가슴 속이 충만감으로 가득 찰 때까지 계속하여 그 단어를 읊조리며 호흡하라. 모세도 이런 과정을 거쳐서 자기의 약점을 극복했다는 사실을 상기한다면, 당신도 언제든지 필요할 때마다 이 하나님의 선물을 가져다 쓸 수 있을 것이다.

제4장 하나님과의 대화

지난 10년간 나에게 가장 많은 영향을 끼쳤고 내 삶에 있어서 큰 스승인 그레그 브래든은 과학자이며 동시에 베스트셀러의 저자이기도 하다. 또 다른 친구 도린 벌쳐와 한자리에 모였을 때, 우리들은 종교 분야에서 영성이 깊은 저명인사들이 합심하여 기도하면 세상의 큰일에 영향을 미칠 수 있는지를 실험해 보기로 했다. 우리들은 이 실험의 이름을 '거대한 실험'이라고 명명했다.

우리들은 아주 간단한 목표를 정했다. 먼저 어떤 특정한 장소를 택했는데 그곳은 연민, 동정, 도움 같은 것들이 절실히 필요한 장소였다. 그리고 그곳에 "평화가 넘친다."라는 구호를 투사하기로 했다. 이 실험은 이라크, 이스라엘, 그리고 그 밖에 서너 곳에서 동시에 진행하기로 했다. 우리들이 확신한 것은 그 실험이 지구상에서 가장 강력한 기도의 힘을 입증하는 계기가 될 것이라는 사실이었다.

여기에 그 실험과 관련된 한 좋은 본보기가 있다. 1999년에 미국과 그 동맹국들은 전쟁의 기로에 서 있었다. 사담 후세인은 유엔 조사단에 이라크를 떠날 것을 종용하였고, 국제적인 충돌은 피할 수 없는 상황으로 치닫고 있었다. 그레그와 도린과 나는 그해 11월 13일에 플로리다에서 연설을 하기로 되어 있었는데, 우리들은 그 연설회장에서 모두가 합심하여 기도를 하여 당시의 이라크 위기상황을 변화시켜 보기로 했다.

전 세계의 수많은 온라인 커뮤니티에 동참을 촉구하는 이메일을 보냈는데, 밤새 수십만 명이 철야기도로 동참하겠나고 하면서 이메일과 전화, 팩스로 호응하였다. 우리들이 무대에 서서 기도문을 낭독하는 장면은 인터넷을 통하여 전 세계로 생중계 되었으며, 그날 밤 매 순간순간마다 우리들은 충만한 에너지를 느낄 수가 있었다. 우리들은 그날 밤을 마치 은혜가 '빗물같이' 쏟아져 내려오는 것 같다고 느꼈지만, 정작 우리들을 더욱 놀라게 만든 건 바로 그 다음 날 이라크에서 발생한 사건이었다.

아침 뉴스는 우리들이 막 기도에 돌입한 바로 그 시간 클린턴 대통령이 이라크에 대한 폭격을 결정하였다고 전했다. 그러나 사실 그 때는 이미 전폭기들이 모두 실전 배치상태에 들어갔으며, 상부의 최종 폭격명령만을 기다리고 있었던 것이다. 그렇지만 조종사들이 매우 이상하게 생각하는 사이 소중한 시간은 마냥 흘러가기만 했다. 바로 그때 관계된 모든 사람들이 경악할 일이 터졌으니, 그것은 클린턴 대통령이 돌연 폭격명령을 취소하고 모든 함재기들에게 항공모함으로 귀환하라는 명령을 내린 것이었다.

잠시 동안 그 폭격명령을 재검토하기라도 하였는지, 모든 전폭기들은 다시 비상 폭격준비 모드로 들어갔고 속속 항공모함을 떠났다. 다시 한 번, 폭격기들은 폭탄을 가득 실은 채로 모두 그들의 모함으로 귀환하였다. 비상해제 명령이 떨어졌지만 어느 누구도 왜 그렇게 됐는지는 아는 사람이 없었다.

당신이라면 믿을 수 있겠는가? 바로 그 일이 수십만 명의 사람들이 해당 지역의 평화를 염두에 두고 밤새워서 철야기도에 들어간 시간에 일어났다는 사실을?

난 그 일로 인하여 당신이 놀라지 않기를 바란다. 왜냐하면 우리들은 원하는 것이라면 무엇이든지, 심지어는 세계평화까지도 이룰 수 있는 능력이 있는 도구를 우리들 손 안에 갖고 있다는 사실을 이미 받아들일 수 있기 때문이다. 이렇게 국제적으로 복잡하게 얽혀 있는 문제까지도 변화시킬 수 있는 능력이 있는데, 하물며 자신의 사소한 삶의 목표쯤이야 문제될 것이 무엇이 있겠는가?

불가능한 사명

당신이 모세였다고 생각해보라. 화려했던 시절은 다 지나가고 일개 양치기가 된 늙은 그에게 하나님은 이 세상에서 가장 큰 힘과 권세를 가진 자에게 찾아가서 그의 노동력의 대부분을 차지하는 노예들을 해방시키라는 명령을 하고 계신다. 어쩌면 '불가능'이라는 말 자체가 적절하지 않을지도 모른다. 그러나 모세는 자기가 어떤 대답을 듣게 될지를 뻔히 알면서도, 곧바로 파라오를 찾아가는 여행을 떠난다. 모세는, 온 이집트의 군대를 다 동원한 것보다도 더 막강한 힘을 가진 하나님이라는, 자신만이 알고 있는 비밀의 파워가 있었기에 전혀 두려워하지 않았다.

파라오가 이 사실을 깨닫는 데는 그리 오랜 시간이 걸리지 않았다. 자신의 힘이나 마술사들의 능력도 모세가 휘두르는 힘에는 대항할 수 없다는 사실을 깨닫자, 파라오는 결국 노예들을 모두 해방시켜주기에 이르는 것이다.

이제 당신은 모세가 가졌던 비밀과 똑같은 비밀 즉, '신성한 하나님의 이름'이라는 비밀을 소유하고 있다. 당신이 삶 속에서 그 에너지를 어떻게 분출시키는지를 알게 되는 순간, 당신은 역사상 가장 위대한 힘을 발견하게 될 것이다.

"하나님의 능력이 내 안에 있다. 나는 그 힘을 이용하여 무엇이든지 이룰 수 있다."

사실 당신은 지금껏 그 힘을 부지불식간에 사용해 오고 있었다. 이제는 그 비밀을 알게 되었기에 당신은 그 힘을 좀 더 좋은 일을 하는데 사용할 수가 있는 것이다. 예를 들면, 이웃들과 좋은 관계를 유지한다든가, 가난한 사람들을 생각한다든가, 또는 더 범위를 넓히면 세계평화를 위한다든가 하는 일들 말이다.

그래그 브래든은 자신의 저서 『하나님의 코드』라는 책에서, 하나님의 코드가 우리 인간들의 몸속에 이미 모두 심겨져 있다고 주장한다. 그래그의 연구에 의하면, 수소, 질소, 산소, 탄소와 같은 DNA의 기본 요소들은 YHVA라는 히브리어 알파벳으로 대체될 수 있으며, 이 글자는 곧 원래의 하나님의 이름 야훼를 의미한다는 것이다. 이렇게 하나님의 이름이 우리 몸을 구성하고 있는 세포 속에서 활동하고 있다는 사실을 깨닫게 되면, 이 지구상의 모든 인간들은 악을 물리치고 선을 추구할 수 있는 능력을 소유하게 된다고 했다. 간단히 말해서, 우리 인간들은 하나님의 존재를 자각함으로 해서 우리들이 추구하는 최선의 목표인 마음의 평화를 획득할 수가 있다는 것이다.

"크리스천이건, 유대인이건, 무슬림이건, 힌두교도이건, 불교도이건, 신도교도이건, 자연숭배자이건, 무신론자이건, 백인이건, 흑인이건, 황인종이건, 남자이건, 여자이건, 어른이건, 아이이건, 그 메시지는, '우리들 모두는 인간이다.'라는 기본 강령을 생각나게 만든다. 인간으로서 우리들은 모두 한 분의 창조자 아래서 태어난 어린 아이이다. 이 불변의 진리가 의심나는 순간이 있다면, 바로 그때야말로 우리 몸의 세포들이 어떻게 창조되었는지를 생각해야 할 시간이다. 그걸로 족할 것이다. 이것이 바로 우리 몸속의 세포들이 우리들에게 전해주는 메시지이다." - 그래그 브래든

모세의 코드는 바로 우리들 몸과 마음속에 있다. 우리의 세포는 창조라는 똑같은 노래를 부르고 있으며, 심장은 그 노래의 리듬에 맞추어서 박동치고 있다. 그것은 마음이 이해하는 범위를 초월하여 모든 지적인 노력들을 통합하는 에너지이다. 이 지구상에서 가장 학식이 높은 학자라도 이

비밀의 복잡한 문제를 결코 풀 수 없을 것이다. 이 문제의 비밀을 풀 수 있는 사람은 바로 우리들 자신이다. 그러면 어떻게 우리들 내면에 있는 모세의 코드의 문을 두드릴 수 있을까?

만약 하나님의 이름이 우리들 몸 속 DNA에 있다면, 그것은 바로 하나님이 우리 삶의 기본이 된다는 설명이기도 하다. 하나님의 이름은 그것이 얼마나 크건 작건 간에, 우리들이 원하는 바를 활성화시키는 창조의 능력을 가지고 있다. 내가 『기적의 과정』에서 언급한 것처럼, 기적을 창조하는 일은 결코 어려운 게 아니다. 다른 말로 하면, 기적이란 크건 작건 간에 같은 원리와 법칙 하에서 창조되므로 큰 기적이라고 해서 작은 기적보다 더 어렵다는 말은 아니다. 일단 우리들이 이 원리를 터득하고 이 원리들을 이용하게 되면, 경이적인 일들이 스스로 발생하게 되는 것이다.

"이 말의 의미는 당신이 할 수 있는 일에 한계가 없다는 뜻이다!"

그것은 당신의 꿈이 얼마나 크고 높더라도 문제가 없으며, 당신이 얼마나 행복해지고 싶더라도 관계가 없다는 말이다. 또한 어떤 집에서 살며 어떤 사람들과 관계를 맺고 싶을지라도 전혀 관계가 없다는 말이기도 하다.

핵심을 말하면, 그 코드를 푼다는 것은 모세가 했던 것과 똑같은 대화를 하나님과 나눈다는 의미이다. 이것은 삶의 매 순간순간마다 하나님과 대화로 연결되어 있다는 의미이기도 하다. 때로는 그것을 기도라고 부르기도 하지만, 우리들 대부분은 기도라는 말을 아주 제한적으로만 생각하는 경향이 있다. 사실은 우리들이 생각하는 매 순간이 바로 기도이며, 이런 기도가 우리들이 원하는 것들을 삶 속으로 끌어오고 있는 것이다.

빨간 자전거

자기가 원하는 모든 것을 기도의 힘으로 얻을 수 있다는 이야기를 들은 어린아이가 있었다.

어느 날 부모님은 그에게 자기가 원하는 것을 예수님께 간절히 구하면 모두 얻을 수 있노라고 말해 주었다. 그날 밤에 그 아이는 침대 옆에 무릎을 꿇고 간절히 기도했다.

"사랑하는 예수님, 저는 빨간색 자전거가 정말 갖고 싶어요. 엄마는 제가 열심히 기도하면 예수님께서 꼭 그것을 주신다고 말씀하셨어요. 제발 제게 그 자전거를 주세요."

다음 날 아침이 되었지만 그 자전거는 없었다. 소년은 학교 갈 준비를 하다가 벽난로 위에 성모 마리아 상을 집어서 자기 가방 속에 넣었다. 학교에 도착하자 성모상을 꺼내어 자기 사물함에 넣고는 자물쇠를 채워 잠가 버렸다. 밤이 되어 잠자리에 들기 전에 그 아이는 또다시 기도를 드렸다.

"사랑하는 예수님, 만약 당신이 어머니를 다시 보고 싶으시다면…"

이 이야기가 주는 교훈은, 우리들은 필요한 것을 구하면서 그 기도가 당장에 이루어지지 않으면 곧바로 위협적인 자세로 바뀌는 경향이 있다는 것이다.

모세의 코드는, 우리들이 필요한 것을 구하면 얻는 것이 아니라, 구할 때에 이미 다 우리들 손 안에 있다는 사실을 깨달아야 이루어지는 법칙이다. 하나님은 전지전능하시기 때문에, 우리들이 구하면 자동적으로 다 얻게끔 만들어 놓으셨다. 세상의 기준이나 사고방식으로는 하나님께서 모세에게 명령하신 일이 불합리하고 불가능해 보이지만, 모세는 확신을 가지고 앞으로 나아갔으며, 세상을 변화시켰다. 우리들 모두도 모세처럼 확신을 가지고 나아간다면, 그와 똑같은 일을 할 수 있다. 이것은 우리들이 그 선물을 받을 자세가 되어 있느냐의 문제인 것이다. 문제는 우리들의 기도가 늘 일방통행 식이었다는 데에 있다. 즉, 하나님은 매번 응답하시는데, 우리들은 전혀 하나님의 음성에 귀를 기울이려고 하지 않는다는 말이다. 하나님은 우리들이 원하는 것을 주심으로써 응답하신다. 모세의 코드는 이처럼 쉬운 법칙이다.

예수님은 말씀하신다.

"구하라, 그러면 얻을 것이다."

당신 생각에 이 말은 별다른 의미가 없는 그저 훌륭한 문장이라고만 생각되는가? 당신이 알건 모르건 간에, 이 말이 바로 지금 이 순간에도 계속 작동하는 말이라면 어떻게 할 것인가?

잠시 생각해 보기 바란다. 하나님은 당신이 구하는 것들을 언제든지 다 주셨다. 그러나 이 말은 당신이 지금 심한 곤경에 처해 있다면 당연히 이상하게 들릴 것이다. 이 세상에 당신이 원하지 않은 것은 아무 것도 없다. 나는 험난한 길을 평탄케 해 주시길 원했지만, 실제로 길은 전혀 평탄하지 않았다. 그 사실을 더 깊이 깨닫는 순간, 당신은 자신이 피하고만 싶었던 그 역경까지도 모두 애정을 갖고 끌어안으려고 할 것이다.

만약 당신이 자신의 이익만을 위하여 무엇인가를 구하고 그것이 이루어지기를 원한다면, 모세의 코드는 결코 작동하지 않을 것이다. 그것은 결국 당신이라는 사람을 이기심이라는 스스로 만든 감옥 속에 처넣는 결과가 되기 때문이다.

"두드려라, 그러면 열릴 것이다."

그러나 이것은 당신이 매 순간의 삶 속에서 하나님이 항상 함께 하신다는 확신을 가지고 있을 때에만 가능한 일이다. 당신 스스로 자신을 비하하고, 감옥을 만들고, 그 감옥 속에 처넣으며, 스스로 문을 닫아 버린다면, 여기에는 단 하나의 문제만 존재한다.

"하나님은 당신에게 자물쇠를 채울 수 있는 힘을 허락하지 않으셨다."

잠시 멈추어서 감사의 기도를 드리자. 이것은 좋은 소식임이 분명하다. 왜냐하면 결국 우리들 내부에는 우리들이 통제할 수 없는, 잘못을 저지를 수밖에 없는 완벽한 시스템이 존재한다는 의미이기 때문이다. 당신의 자아 속에는 내가 지금껏 이야기한 것들을 들으려 하지 않는 어떤 부분이 분명 존재한다. 사실 그 시스템은 당신의 행복의 일정 부분을 희생하면 충분히 피할 수 있는 것이다. 자아(Ego)에게 행복과 불행 중 하나를 선택하라고 한다면, 우리들의 자아는 늘 불행해지는 쪽을 택할 것이다.

당신의 자아가 마음속에서 진정으로 원하는 것을 취하려 들지 않는다는 사실은 우리들 인생에 있어서 자아의 가장 이상하고도 아이러니한 부분이다. 당신의 자아는 진실을 받아들이기보다는 거짓을 받아들이고자 하며, 당신이 행복해하는 것 보다는 불행해하는 것을 보며 기뻐한다. 왜일까? 진실은 당신이 취한 행동에 대하여 당신 자신이 모든 책임을 질 것을 요구하기 때문이다. 아! 정말 이것은 끌어안고 가기 힘든 일이다. 당신이 지금껏 경험했던 모든 것들은, 좋은 일이든 나쁜 일이든, 당신이 원했기 때문에 일어났던 일이다. 그것의 의미는 당신의 자아가 믿으려고 하는 것처럼, 당신은 그런 악한 존재가 아니라는 뜻이기도 하다. 그 의미는…

"휴스턴, 우리에게 문제가 생겼다!"

그 의미는 당신 속에 하나님의 능력이 있으며, 당신 스스로 제어할 수 있는 일은 아무것도 없다는 뜻이기도 하다. 당신이 자유를 선택하게 되면, 결과적으로 당신에게 더 많은 자유가 돌아갈 것이다. 그러므로 모세의 코드를 받아들이고 그것을 연습하면, 당신은 자유를 만끽하게 될 것이고 당신이 원하는 모든 것을 얻게 될 것이다. 당신이 그것들의 존재를 요구했으므로, 당신이 원하는 모든 것들이 다 있게 된다는 말이다. 다른 말로 하면, 당신이 자신 속에 있는 하나님의 창조능력을 소유하고 있음으로 해서, 당신은 끌어당김의 법칙을 사용하지 않고는 견딜 수가 없는 것이다. 그 능력은 이제 막 연습해야 할 일이 아니고 이전부터 당신 속에는 함께 있어왔던 능력이다. 자신의 삶 속에서 원하지 않던 것이 있거나 최고의 선에 합당치 않은 일이 있다면, 문제는 "왜 그것들이 거기 있느냐?"가 아니라, "왜 당신이 그것들을 사랑하였느냐?"일 것이다. 아마도 그것들은 당신의 믿음이나 생각을 제한하고 통제하는 것들이었으리라. 만약 내 말이 사실이라면, 당신은 그것들에 기름을 더 넣어주어 그것들이 당신의 무능력을 계속 입증하게 하던가, 아니면 그런 부정적인 생각들에 종지부를 찍고 밝은 빛의 세계로 나아가던가, 둘 중의 하나를 선택해야만 한다.

왜 우리들은 자신의 부적절함이나 무능력을 사랑해야만 하는가? 여기에 대한 대답은 사람마다 천차만별일 것이다. 그러나 가장 단순한 대답은, 우리들의 그런 나쁜 결점들은 하나님과 우리들 사이를 점점 더 벌려놓는 쪽으로 작용한다는 점이다. 그것들은 우리들에게 사랑, 행복, 평화를 누릴 자격이 없다고 믿게 만들 뿐 아니라, 분리, 고독, 질병, 그리고 죽음 같은 것들을 더 선호하는 쪽으로 유도한다. 이것이 바로 우리들의 자아가 우리들에게 믿게끔 하는 것이다. 반면에 우리들의 영혼은, 항상 하나님께서 잘 정리해 놓으셨기 때문에, 그와는 전혀 다른 방향을 원한다.

당신을 향한 하나님의 의지는 완전한 기쁨이다. 그렇지만 당신이 하나님의 의지를 공유하기까지는 이 기쁨을 누릴 수가 없다. 왜냐하면 당신의 동의 없이는 하나님도 당신에게 마음대로 주실 수가 없기 때문이다. 지금 바로 이 순간까지도 우리들 대다수는 이렇게 말하곤 했다.

"나는 그런 축복을 받을 자격이 없어."

이것이 진실인가? 당신의 과거 행동들이 과연 하나님의 사랑을 막았던 적이 있었던가? 만약 그랬다면, 그건 정말 큰일이다. 왜냐하면 우리들 모두는 약간의 정도 차이는 있을지언정, 결국 다 똑같기 때문이다.

"다행스럽게도, 사실은 그렇지가 않다."

이제는 당신의 비전과 하나님의 비전을 일직선상에 정렬해 놓을 때이다. 하나님은 당신의 과거 행적이 어떠했던 간에 전혀 상관하지 않으시고 당신을 하나의 완전한 인격체로 보고 계신다. 하나님의 사랑은 무조건적이며 그것을 막을 힘은 이 세상에 아무 것도 없다. 이 사실을 받아들이라. 그러면 사랑이 강물처럼 당신의 삶 속으로 흘러들어 갈 것이다.

연습 4: 당신을 향한 하나님의 뜻

백지에 두 칸을 만들라. 왼쪽에는 당신의 믿음을, 그리고 오른 쪽에는 하나님의 의지를 적으라. 왼쪽에는 당신이 지금껏 믿어 왔던 또는 겪어 왔던 경험의 항목들을 열거하라. 아마도 당신은 일관되게 행복을 느끼지 못하면서 살았을 것이다. 항상 부족하게 살았을 것이다. 당신은 남을 사랑할 수 없다고 생각하면서 살았을지도 모른다. 또는 다른 사람들로부터 사랑받기에 적합하지 않은 인물이라고 느끼면서 살았을지도 모른다. 하나님은 당신 삶의 어떠한 순간에도 당신이 행복하고 풍요롭기를 바라셨다. 그러므로 당신은 끊임없이 하나님의 의지와 역행하면서 살아 온 꼴이 되는 셈이다. 결과적으로 투쟁과 반목과 갈등이 계속 당신을 괴롭혀 왔던 셈이다.

이제 이런 부정의 사슬을 끊을 때가 온 것이다. 만약 당신이 누군가와 싸우고 있었다면, 그 승패에는 관계없이 당신은 지금껏 지는 게임을 하면서 살아 온 셈이다. 그 싸움을 하나님께서 대신하도록 위임하라. 자신과의 싸움은, 타인과의 싸움도 마찬가지이지만, 하면 할수록 자신을 황폐화시키고 불행하게 만드는 것 외에는 아무 소득이 없다.

당신이 자신 속에 있는 성령님께 두 손 들고 항복하면, 하나님의 선물을 가로막고 있던 모든 장벽들이 일시에 무너져 내리게 되고, 그의 사랑이 거침없이 당신에게로 쏟아져 들어 올 것이다.

오른 쪽에는 하나님의 대답을 적어보라. 예를 들면, 왼쪽에 "나는 부유하게 살 자격이 없어."라고 적었다면, 오른 쪽에는 "나를 향한 하나님의 계획은 완전한 풍요로움이다." 라고 적으라. 왼쪽에 당신의 의지를 "나는 다른 사람들과 좋은 관계를 유지할 수 없어."라고 적었다면, 오른 쪽에는 "하나님은 네가 다른 사람들과 언제나 좋은 관계를 유지하면서 살기를 바라신다."라고 적으라. 이렇게 써 내려감으로써 당신은 하나님의 진정한 뜻이 무엇인지를 깨닫게 될 것이다.

이런 작업을 계속해 나가면서 점차 당신의 감정과 느낌을 조정해 나가는 방법을 터득해 가는 것이다. 그러면 어떤 감정이 나타나게 될까? 그것은 바로 완전한 기쁨이다. 오른 쪽 하나님의 뜻을 계속 읽으라. 그리고 그 감정들이 당신을 지배하게 만들라. 새로운 결정들에 감사하라. 나도 이제 하나님과 같은 비전을 가지게 되었다는 사실을 자랑스럽게 생각하라. 이제 당신의 삶은 변화의 전기를 잡게 된 것이다.

"그렇게 된다고 생각하라. 그러면 실제로 그렇게 된다."

제5장 현실 vs 상상

자신에게 물어보라. 감옥에 갇혀 있는 죄수가 되고 싶은가, 아니면 자유인이 되고 싶은가? 누구든지 올바른 정신을 가진 사람이라면, 그리고 선택권이 자신에게 있는 사람이라면 죄인처럼 부자유스럽게 살고 싶은 사람은 아무도 없으리라. 그렇지만 잠시 더 생각해 보자. 올바른 정신 상태라면 굴레와 속박 속에서 살고 싶은 사람은 없을 것이다. 그러나 아주 솔직하게 자신에게 물어보자. 그러면 비로 그런 상태를 내가 지금껏 원했다는 사실을 도처에서 확인할 수 있다. 자신이 언제나 나약하고 무엇에나 부적합하다는 마음가짐이야 말로 감옥인 것이다. 그렇다면 그런 올바른 정신을 갖지 않는다는 것이 과연 가능한가? 그 대답은 아주 간단하다. 당신은 지금껏 분리된 마음가짐을 가졌었다.

분리된 심리의 가장 흔한 증세는, 우리들이 하나님과 분리되어서도 성공할 수 있다는 마음가짐이다. 바로 거기로부터 당신의 모든 분리가 시작되는 것이다. 당신이 알고 지내던 모든 사람들과의 괴리감, 세상에서 혼자인 것 같은 고독감, 그 밖에 그와 비슷한 '혼자'라는 감정들 말이다. 만약 당신이 세상과 분리돼서 혼자라면, 이 말은 당신은 주변의 공격에 노출되어 있다는 의미이고, 당신을 둘러싸고 있는 모든 상황들과 전쟁을 하고 있다는 말이기도 하다.

당신의 생각이 삶에서 이런저런 모양으로 다가올지라도, 그것이 하나님의 의지와 일직선상에 정리되어 놓여있지 않으면, 그것은 진정한 의미가 없으며, 진정한 의미가 없는 생각은 현실적인 것이 아니다.

"이런 것들을 당신의 상상력이라고 부른다."

당신은 자신이 원하는 여러 가지 세상을 꿈꿀 수 있다. 그러나 그것이 단지 자신의 마음속에만 있다면 그것은 진실한 세계가 아닌 것이다. 진실한 세계란 사실적인 여러 법칙들에 의해서 뒷받침되고, 그 사실적인 법칙들이란 하나님으로부터 나오며, 그 하나님을 우리들은 '우주의 창조력'이라고 부를 수도 있다.

지구상에 살던 사람들이 지구는 평평하다고 믿었던 때가 있었다. 당시엔 이런 생각은 너무나도 보편화되어 있었기 때문에, 먼 바다로의 여행은 엄청난 공포를 수반하였다. 너무 먼 데로 나가서 만약 그 밑으로 떨어진다면 어떻게 해야 하나? 당시의 이 지혜에 대하여는 어느 누구도 이의를 제기하지 않았으며, 사실 그때 모든 이론들은 이 '평평한 지구' 사상을 뒷받침해주고 있었다. 당신은 이 세상의 어느 해변가에 서 있을 수도 있다. 먼 바다 수평선을 바라보면서 세상의 끝을 바라보고 있다고 생각한다. 분명 그것은 그렇게 보였다. 그러나 그게 과연 사실이었을까? 만약 당신이 과거로의 시간여행을 했다면, 그래서 많은 사람들로부터 그런 이야기를 듣고 왔다면, 당신에게 어떤 일이 일어났으리라고 생각되는가? 당신은 사람들에게 지구는 둥글며, 지구가 평평하게 보이는 것은 단지 지구의 곡선으로 야기된 착시현상일 뿐이라고 설명한다. 사람들이 어떻게 반응할까?

"갈릴레오에게 물어보라!"

그 주장은 필경 환영받지 못할 것이다. 이것은 역사가 증명한 사실이다. 당시 그렇게 주장했던 사람들은 다 화형대 위에서 처형되었다. 전통적인 사상에서 일탈한 주장을

펼친 사람들은 보통 사람들의 대열에서 가차 없이 제거되었던 것이다.

이 말은 결국 당신이 감옥 안에 있을 때, 그 울타리가 당신을 안전하게 해 준다는 말이다. 사람들은 자신의 위치를 알고 처신하며 다른 사람들이 무엇을 요구하는지를 알기 때문이다. 그것은 어떤 결정이 옳고 그른지의 문제와는 전혀 상관이 없으며, 그 결정을 유도해낸 과정이 거짓에 근거해도 문제가 되지 않는다. 문제는 사상이다. 당신이 옳다고 믿고 있는 바탕에는 안전함, 또는 편안함이라는 사상이 깔려 있다는 말이다.

다시 한 번 말하지만, 당신이 가진 옳다는 생각은 그것이 전능자의 생각과 일치하지 않는다면, 꼭 옳지 않을 수도 있으며, 그래서 옳지 않은 생각은 아무런 효과가 없는 것이다. 그리고 내가 이미 지적했듯이, 아무런 효과가 없는 것이라면 그 또한 진실이 아니다. 당신은 "그것은 진실이다."라고 믿고 싶은 것이다. 그것을 믿으면서 거기에 많은 에너지와 자원을 낭비하면서 그것을 뒤집는 법칙이 나오지 않기를 바랄 것이다. 만약 당신이 하나님의 창조섭리에 반하여 행동한다면, 이 세상의 모든 힘은 당신과 정반대로 작용하게 될 것이며, 당신을 도우려하지 않을 것이다.

“아, 당신은 세상을 얼마나 힘들게 살아가는 사람인가!”

자, 창조섭리로 다시 돌아가 보자. 만약 당신의 자아가 당신 자신을 나약하며 공격당하기 쉽고 외톨이라고 믿고 있다고 가정해 보자. 이 때 하나님은 정반대의 생각을 갖고 계신다면 당신은 어느 쪽을 믿을 것인가?

하나님은 당신에 대해 정확히 무어라고 하시는지 들어보자.

- 당신은 거룩하다.
- 당신은 완전한 존재이다.
- 당신은 안전하다.

당신의 풍요는 바로 이러한 사실들을 받아들이는 데서부터 출발한다. 단지 지식으로서만이 아니라 당신의 가슴으로 말이다. 이것이 또한 모세의 코드가 당신에게 주는 선물이다. 즉, 하나님의 이름을 사용하여 당신의 의지를 일치시키는 작업이라는 말이다.

더 많은 연습을 하면 할수록, 당신은 더 많은 선물들을 받게 될 것이다. 하나님께서는 당신에게 주신 선물을 되돌려 받으려고 하시기 때문에, 당신이 받으면 받을수록 점점 더 많은 것을 주시려고 한다. 이런 하나님의 섭리와 친숙하게 지내라. 그러면 당신이 이루지 못할 일이 없다.

연습 5: 주기와 받기의 법칙

만약 하나님의 성품이 '주기'에 있다면, 우리들에게는 이 성품을 본받을 만한 온갖 이유가 있다. 지금까지 우리들은 '받기 위해 주는' 마음가짐에 익숙해져 있었다. 다른 말로 하면, 우리들이 주는 행위를 하는 이면에는 받음에 대한 기대가 자리하고 있었다는 말이다. 이러한 사고방식의 문제점 중 하나는, 우리들이 주는 행위를 하면서도 무엇을 되돌려 받을 것인지를 정확히 알고 있었다는 말이다. 그 결과 우리들이 원하는 것에 대한 일종의 흥정으로 다른 사람들에게 주어왔던 것이다.

만약 내 등이 가려우면, 우리들은 먼저 옆 사람의 등을 긁어주겠다고 제안한다. 사실 이런 행동 자체가 문제일 수는 없다. 왜? 내 호의에 대한 대가로 그 옆 사람이 내 등을 긁어 줄 것이기 때문에. 그러나 이제는 좀 더 높은 차원에서의 주는 행위를 하여야 할 때이다. 즉 상대방과 흥정을 하지 않는 '일방적인 주기' 연습 말이다.

만약 당신이 다른 사람의 등을 긁어 주었는데, 그가 기꺼이 그 제안을 받아들이고 정작 아무런 답례도 하지 않았다면 당신은 어찌할 것인가? 어떤 대가를 바랐다면 당신은 분명 불쾌하게 생각할 것이다.

"나는 네 등을 긁어 주었는데, 너는 모른 척 해? 괘씸하군."

필경 이것이 당신의 반응이 될 것이다. 밖으로 표시는 하지 않았더라도, 분명히 당신의 마음(자아)은 그렇게 생각하고 있을 것이다. 마음이 요구하는 것은 '받는 것' 뿐이기 때문이다.

아무런 대가 없이 주기만 하는 행위는 마치 미친 짓처럼 보일 뿐이다. 분명 당신의 자아는 "그래서 내게 무슨 이득이 있는데?"라고 묻고 있을 것이다.

그 대답은 아주 간단하고 분명하다. 등을 긁어 주는 것보다 훨씬 더 중요하고 훌륭한 선물, 그것이 바로 자유라는 선물이다. 무엇으로부터의 자유? 주는 것과 받는 것은 궁극적으로 같은 행동이기 때문에, 당신이 거룩한 경험을 한다는 말은 상대방을 거룩히 여길 때에만 가능하다. 다른 말로 하면, 당신이 하나님으로부터 거룩한 선물을 받고자 한다면, 그런 세상적인 기준을 버려야 한다는 말이다.

잠시만 기다려라. 우리들이 과연 이 장에서 받음에 대

한 기대 없이 주기에 대한 충분한 토론을 했는가? 당신이 받는다는 기대로부터 어떻게 자유로워졌는가?

나는 이런 행동을 거룩한 이기심이라고 즐겨 부른다. 자아의 목적추구 없이 세상을 살아간다는 것은 사실상 불가능하다. 여기에서의 핵심은 그것을 주장하는 게 아니라 다른 방향에서 접근해보자는 것이다. 우리들의 이기심을 자아의 유혹을 물리치고 영혼의 목적을 위하여 사용하자는 말이다. 우리들이 원하는 것들을 나열하면 기쁨, 평화, 만족, 연민, 돌봄과 같은 단어들이다.

정말 주는 것과 받는 것이 동일선상에 있다면, 우리들이 가장 원하는 것을 먼저 준다는 말이 상당히 설득력이 있게 들릴 것이다. 그러므로 당신의 높은 목적이 행복이라면, 다른 사람을 먼저 행복하게 해 주라. 더 많은 행복울 나누어 주면, 더 많은 행복을 경험하게 될 것이다. 이것이 바로 우리들의 자아를 다른 방향에서 접근하여 사용하는 경우이다. 그런 행위가 결국은 당신의 영혼을 더욱 풍요롭게 만들어 줄 것이기 때문이다.

등을 긁어주는 문제로 되돌아가 보자. 당신 자신에게 물어보라.

“누군가가 내 등을 긁어주기를 바라는 것이 진정한 나의 목적인가?”

아마도 당신은 자신이 타인들로부터 사랑을 받고 있다거나, 관심을 받고 있다고 느끼는 게 진짜 목적일지도 모른다. 그런데 이런 것들은 당신이 주려고 하는 상대로부터가 아닌, 전혀 다른 사람으로부터 받게 될지도 모른다. 하나님은 당신이 누군가에게 조건 없이 제안할 때, 당신이 꿈꾸어 보지도 못한 선물을 줄 계획을 갖고 계시기 때문이다. 그러므로 이것이 결론이다.

"다른 사람에게 조건 없이 사랑과 연민을 선물하라."

제6장 하나님의 거룩한 이름

모세가 자기에게 주어진 불가능해 보이는 명령, 즉 히브리 백성들을 자유롭게 하라는 명령을 달성할 수 없다고 하나님께 말했을 때, 하나님께서는 이렇게 말씀하셨다.

"내가 아브라함과 이삭과 야곱의 하나님으로 그들에게 나타났으나, 나의 이름을 여호와로는 그들에게 알리지 아니하였고" -출3:6

하나님은 모세에게 "I AM THAT I AM"이라는 이름으로 나타나셨다. 여기에서의 질문은 이런 것이다. 과연 이러한 친밀함을 오로지 모세나 히브리 사람들에게만 주신 것일까, 아니면 오늘날 우리들에게도 변함없이 주시는 선물일까?

하나님이 어떤 특정한 집단이나 민족만을 사랑하신다는 생각은 매우 인간적인 것처럼 보인다. 그런 생각은 보통 사람이 하기에 딱 알맞은 생각이지만, 사실인즉 하나님의 생각은 그렇지가 않다.

하나님의 사랑은 무조건적이다. 친밀함 또는 하나됨으로 다가오는 하나님의 이름은 우리들 모두에게 주어진 선물이다. 그러면 우리들은 그 이름을 가지고 어떻게 해야 할까? 모세가 처음에 했던 것처럼 움츠러들고 뒤로 물러나서 하나님의 그 선물을 아무에게도 보이지 않게 성전 장막 속에 꼭꼭 숨겨 놓아야만 할까? 아니면 그 능력을 이용하여서 우리들의 삶을 바꾸고 세상을 변화시켜야 할까?

하나님의 명령

지난 수십 년 동안, 나는 많은 사람들을 모세와 히브리 사람들에게 약속된 땅인 이스라엘에 데리고 다녀왔다. 최근의 한 여행에서 우리들은 사페드라는 작은 시골동네에서 머문 적이 있었는데, 그곳은 영적이고 신비로운 성지로 세상에는 잘 알려져 있지 않은 곳이었다. 기념품점을 방문하였을 때, 나는 카운터 뒤편에 히브리 글자로 하나님의 이름이 새겨진 작은 조각품을 하나 발견하였다. 점원 여자에게 그 하나님의 이름을 히브리말로 읽어줄 수 있겠느냐고 물어 보았다.

"그건 하나님의 계명 중 하나를 어기는 겁니다."

그녀는 무뚝뚝하게 마치 어린아이라도 다 알고 있는 것을 왜 모르느냐는 표정을 지으면서 대답했다.

"하나님은 우리들에게 하나님의 이름을 함부로 부르지 말라고 하셨어요. 그게 바로 저 이름을 읽어드릴 수 없는 이유랍니다."

나는 그녀에게 나 역시도 똑같은 기독교 교육을 받고 자라났지만 그 의미에 대해서는 상당히 다른 견해를 갖고 있다고 말해 주었다. 우리 크리스천들은 하나님의 이름을 맹세하거나 저주하는데 사용하면 안 된다고 배우면서 자랐다. 그러나 그녀는 그 구절을 훨씬 더 문자적으로 해석하는 것 같았다.

"아니에요, 그게 성경에서 의미하는 게 아니지요."

그녀는 말했다.

"우리들은 분명히 그렇게 배웠기 때문에 그 구절을 다른 의미로 해석할 수는 없는 거죠. 하나님의 이름을 망령되이 부르지 말라는 의미는, 하나님의 이름을 절대로 소리 내서 읽으면 안 된다는 의미입니다. 만약 그랬다가는 아주 무서운 일이 발생하게 되니까요."

나는 그녀에게 어디서 그런 교육을 받았는지, 그리고 그런 믿음이 히브리인들의 공통된 생각인지를 물었다.

"그건 공통적이고 아니고 하는 문제와는 아무 상관이 없어요. 그건 진리죠. 진리를 적당히 다른 말로 해석할 수는 없어요. 만약 당신이 하나님의 이름을 함부로 부른다면, 하나님께서는 그것을 기억하셨다가 어느 때곤 반드시 벌을 내리십니다. 그렇지만 그걸 피할 방법이 없는 건 아니죠."

당연히 호기심이 발동했다. 그래서 그녀에게 계속 설명을 해달라고 부탁했다.

"우리들은 때때로 그 이름을 약간 바꾸어서 부르죠. 만약 내가 당신의 이름을 부르고 싶은데, 당신이 그걸 허용하지 않는다면 어쩌겠어요? 난 당신의 이름 '제임스' 대신 '예임스'라고 부르는 겁니다. 그러면 우리들에게 잘못될 일이 없죠. 그런 방식으로 하나님의 징계를 피하는 겁니다."

나는 이것이 바로 히브리인들이 이집트를 떠나서 약속된 땅에 들어갈 당시의 상황임을 알 수 있었다. 우리들은 그것을 지금껏 사용하지 못하고 한쪽에 방치하고 있었던 것이다.

그런데 이것이 과연 하나님께서 원했던 것일까? 우리들의 두려움 때문은 아니었을까?

토라에 특별히 유대인들로 하여금 하나님의 이름을 부르지 말라고 정해 놓은 규정은 없다. 오히려 성전에서 기도할 때는 큰 소리로 하나님의 이름을 부르라고 되어있다. 토라의 근거가 된 유대인들의 구전 문집인 미쉬나(베라코트 9:5)를 보면, 기도할 때는 하나님을 열심히 부르라고 되어 있다.

그러나 탈무드의 시대로 접어들면 이런 관습은 점차 변화되기 시작한다. 어떤 랍비들은 하나님의 이름을 다른 말로 대신하여 부르지 않고, 그 실제 이름을 망령되이 부르는 자는 죽음에 이르게 된다고 가르치고 있다. 상황이 이상한 방향으로 변질된 것이다.

우리들이 이 책『모세의 코드』에서 사용하는 하나님의 이름조차도 원래의 히브리 원문을 잘못 번역한 것이라는 사실은 매우 흥미롭다. 수백 년 동안, 최초로 하나님이 모세에게 밝힌, "I AM THAT I AM"이라는 이름을 우리들이 잘못 알고 사용하여 왔던 것이다. 많은 비밀스런 종교학교들이 이 용어를 차용하였으며, 몇몇은 그 용어가 마치 정통해석인양 학생들을 가르쳐 왔던 것이다.

실제 히브리 원어에 나타나는 하나님이라는 용어는 'EHYEH ASHER EHYEH'인데, 그 뜻은 "I will be who I will be*"라는 말이다. 하나님은 실제로 모세에게 현재시제가 아

* [역자 주4] 성경식 표현으로는 "나는 스스로 있을 자"

닌 미래시제를 사용하셨다. 그렇다면 우리들에게 남는 의문은 이러한 시제상의 차이가 우리들의 잘못된 번역에 어떤 영향을 주느냐 하는 문제이다. 더군다나 하나님의 신성한 이름이 성공 또는 자기실현의 도구로 사용될 때는 어떻게 할 것인가?

하나님은 언제나 어디에나 계신다. 만약 이 말이 사실이라면, 하나님은 과거에도 사셨고, 현재에도 사시며, 미래에도 여전히 살고 계실 것이다. 이 말은 신앙심이 어느 정도 있는 크리스천이라면 대개가 수용하는 진리이므로 여기서 다시 논의의 대상으로 삼고 싶지는 않다. 그러나 이 사상에도 많은 논란거리가 포함되어 있다.

과거의 사람에 대하여 언급하는 것은 현재의 사람에 대하여 언급하는 것이나 마찬가지이다. 무슨 말이냐 하면, 우리들이 지금 이야기하고 있는 대상은 변함이 없다는 말이다. 가령 "헨리가 여기 있었다."라고 말한다면, "헨리가 여기 있다."고 말할 때의 바로 그 동일인 '헨리'를 지칭하고 있는 것이다.

그러므로 만약 우리들이 "I WILL BE WHO I WILL BE"라고 말하면서 하나님을 지칭한다면, 그 말은 "I AM THAT I AM"이라고 말할 때의 바로 그 동일한 하나님을 가리키는 것이다. 이 세계에서 가장 잘 알려진 저명한 음성치료자인

조나단 골드먼은 이렇게 말한다.

"소리에 의지를 더하면 기적이 일어난다."

말이란 단어들만 가지고는 그 의미가 매우 약하다. 그 말에 하나님의 영을 불러들이는 것은 바로 의지력이다. 이 두 가지가 합쳐질 때 우리들은 신비로운 현상들을 경험하게 된다.

사페드에서 만난 그 여성의 이야기로 돌아가 보자. 하나님의 징계를 피해보려고 발음을 약간 달리해서 하나님을 부르는 것은 별다른 의미가 없다. 단어의 철자 하나나 둘을 바꿔치기 하는 것도 마찬가지이다. 그렇다고 해서 하나님과의 연결고리가 끊어지는 게 아니기 때문이다. 그렇다면 왜 우리들은 하나님의 이름에 그렇게도 큰 의미를 부여하는 걸까?

어떤 사람의 이름을 안다는 것은 당신과 그 사람과의 연결효과를 배가시켜 준다. 당신이 나를 제임스 또는 지미라고 부르면, 나는 거기에 응답한다. 그렇지만 그 이름의 각각은 약간씩 다른 의미를 가지고 있으며, 나 역시도 거기에 따라 다르게 반응할 것이다. 제임스란 이름은 훨씬 더 형식적인 이름으로, 주로 작가로서, 연설을 할 때, 또는 공식적인 행사에서 사용된다. 지미는 많은 친구들이 나를 부르는 이름이다. 그 이름은 훨씬 더 친근감이 있고 스스럼이 없다.

그러나 나는 두 이름 모두를 사랑한다. 그 이름을 부르는 사람과 내가 친한 사이라면, 나는 누가 어떤 이름으로 나를 부르든 크게 개의치 않는다.

하나님도 우리들과 똑같지 않으실까? 하나님은 모세에게 히브리 백성을 노예상태에서 해방시키라고 명령하셨다. 그리고 그 이름을 부르라고 알려 주셨다. 누군가 친구가 되고 싶은 사람들을 만났다고 상상해 보라. 당신은 그들에게 이름을 알려주었고, 그들이 언제나 필요하면 그 이름을 사용할 것을 알았다. 상상해 보라. 만약 그들이, 당신의 사랑은 너무나도 크고 위대하기 때문에 자기들은 감히 그 이름을 부를 수 없노라고 말한다면 당신의 기분은 어떻겠는가?

그렇다면 그들을 사랑하려던 당신의 의지는 그들과 하나가 되지 못할 것이다. 우리들이 하나님의 이름을 현재가 됐건, 과거가 됐건, 또는 미래 시제이건 간에 부르게 되면, 하나님과 우리들의 연결고리는 금세 회복될 것이다. 결과적으로 우리들은 하나님과의 연결고리로 인하여 기적을 경험하게 될 것이다. 이것이야 말로 바로 모세의 코드의 핵심 중의 핵심 사상이다.

그러므로 당신이 하나님을 "I AM THAT I AM"이라고 부르건, 또는 "I WILL BE WHO I WILL BE"라고 부르건 간에, 그 결과는 똑같다는 말이다. 하나님의 신성한 능력과 연결시키고자 하는 당신의 의지가 하나님과 친밀한 관계를 유도하여 낼 것이기 때문이다. 그렇다면 여기서 하나님의 역할은?

"창조하는 것이다."

이것이 이 책의 목적이다. 바로 당신의 기능과 하나님의 기능은 결국 같다는 사실을 깨닫게 하는 것 말이다. 당신이 이 지구상에 태어난 목적은 평화와 조화로운 삶을 이루기 위함이다. 당신의 이름이 약간씩 다르게 불려도, 하나님은 그것을 결국은 똑같이 들으신다. 당신의 가슴이 열려 있을 때나 목적이 분명할 때, 하나님은 언제든 응답하신다.

연습 6: 두 번째 변형된 방식

지금까지 당신은 모세의 코드를 가지고 읊조림으로써 당신이 삶에서 필요한 것들을 끌어당기는 연습을 했다. 여기서 중요한 것은 우리들은 하나님의 선물을 다른 사람들과 나누려는 마음가짐을 갖고 있어야 한다는 사실이다.

이것을 좀 더 기운차게 배우기 위해 우리들이 지금껏

해오던 방식이 아닌 그 반대로 읊조리는 방법을 시도해보자. 숨을 내쉴 때 "I AM THAT(내가 그것이다)"라고 말하던 대신, 이번에는 그 말을 하면서 숨을 들이쉬어 보자. 당신의 에너지가 모두 합쳐진다는 느낌을 갖는 게 중요하다. 예를 들면, 당신의 목적이 연민이나 따스한 감정을 확산시키는 것이라면, "내가 바로(I AM THAT) 그 연민이다"라고 말하며 그 감정이 몸속을 가득 채우고 있다고 느끼는 게 중요하다는 말이다.

이제는 숨을 내쉬면서 "나는/나도 그러하다(I AM)"라는 말을 크게 소리 내어 외쳐보라. 이렇게 할 때, 그 감정이 모든 사람이나 생명체에 도달하는 느낌을 가져야 한다. 우리들이 모세의 코드를 이용하는 첫 번째 목적은 하나님께서 우리들에게 주셨듯이, 그렇게 '무조건적'으로 주는 연습을 하는 것이다. 이 변형된 읊조림을 통하여 당신이 행복과 기쁨을 온 세상에 골고루 전달하는 메신저가 된, 그런 기분을 만끽하라.

제1부에 대한 마지막 생각

당신을 향한 하나님의 의지는 완전한 기쁨에 차있다.

잠시 그것에 대해 생각해 보기 바란다. 완전한 기쁨이란 전적인 기쁨이며 온 세상으로 퍼져나가는 기쁨이다. 이 말의 의미는, 하나님께서는 당신이 풍요로워지고, 행복해지고, 다른 사람들과 온전히 좋은 관계를 유지하기를 원하신다는 말이다. 그러나 한걸음 더 나아가게 되면 여기에도 당신이 원하는 물리적인 욕구 이외에 훨씬 더 중요한 무엇인가가 있다. 예수님은 말씀하신다.

"너희는 먼저 그의 나라와 의를 구하라. 그리하면 이 모든 것을 너희에게 더하시리라." -마6:33

예수님은 행복해지기 위해서 이 세상의 부를 구하지 않으셨다. 그는 아주 이상한 말씀을 하셨다. 예수님은 우리들에게 하늘의 부를 '먼저' 구하라고 말씀하셨는데, 이 세상의 시간이 유한하다는 사실을 염두에 둔다면 이 말씀은 참으로 이해하기 어려운 가르침이다. 이 세상의 부를 구하기조차 시간이 부족한데, 하나님의 나라를 먼저 구하라니? 그렇지만 만약 우리들을 향한 하나님의 의지가 완전한 기쁨을 주시는 것에 있다면, 우리들에게는 당연히 이 물리적인 현세를 넘어서 훨씬 더 깊은 소명 같은 것이 있어야만 한다.

우리들 모두는 언젠가는 다음 세상으로 여행을 떠날

것이다. 당신은 지금까지 하나님의 이름이 갖고 있는 힘을 이용하여 우리들이 이 세상에서 필요한 모든 것들을 끌어당기는 방법을 배웠다. 이제는 그 기술을 이 세상을 뛰어넘어서 다음 세계로 연결시키는 데까지 확장시켜야 한다. 이것이 지금까지 계속되어온 하나님의 뜻이었다. 이 지구상의 풍요는 우리들 앞에 놓여 있는 많은 선물 보따리들 중의 그저 하나였을 뿐이다. 예수님은 완전한 기쁨이란 천국에서만 맛볼 수 있다고 가르치신다. 그 천국에는 그런 선물들이 차고 넘쳐난다. 그 천국이 바로 우리들이 죽고 나서 갈 곳이다. 예수님은 말씀하신다.

"하나님 나라는 너희 안에 있느니라." -눅17:21

당신 안에 있는 하나님의 나라는 당신이 어디를 가든지 따라다닐 것이다. 숨 쉬는 순간마다, 옮기는 장소마다, 당신은 하나님의 나라를 확장시키며 하나님의 선물을 주위 사람들에게 나누어 줄 수 있는 기회를 맞고 있는 셈이다. 이것이 바로 하나님이 하시는 말씀이다.

MOSES CODEZ

PART TWO

진정한 여행이 시작된다

지금부터 하는 심각한 이야기에 주의를 집중해주기 바란다. 이 책을 읽고 난 후에도 당신이 계속 이러한 가르침들을 참고하기로 결정하였다면, 그에 따른 모든 위험은 당신이 감수해야 할 것이다. 만약 포기하더라도 나는 당신이 지금까지 배운 것만 가지고도 충분히 삶을 변화시킬 수 있고, 행복하게 살 수 있다고 확신한다. 당신은 모세의 코드를 이용하여 상상을 뛰어넘는 부를 소유할 수도 있고, 지금까지는 꿈만 꾸어오던 풍요를 누릴 수도 있으며, 원하는 모든 것을 얻을 수도 있다.

여기까지 오느라고 참 많은 수고를 했다. 지금에 와서

포기한다고 해서 어느 누구도 당신을 비난할 수는 없다. 그러나 앞으로도 갈 길은 멀고 험하다. 더 많은 정보들을 탐구해야 하고 경험들을 축적해야만 하기 때문이다. 탐색을 계속하기로 결정하였다면, 당신은 앞으로 모든 것을 변화시킬 수 있는 능력을 보유하게 될 것이다.

모든 것들을…!

사실 지금까지 배운 것들은 앞으로 배울 더 많은 것들에 비하면 그저 예비지식에 지나지 않는다.

여기 당신이 가야 할 길이 있다. 그 길은 지금껏 여행해 보지 않은 새로운 길이다. 훨씬 더 좁고 나무들로 뒤덮여 있으며, 숲속은 컴컴하고 위험하기까지 하다. 이것은 환상이 아니다.

내가 말하는 것은 당신이 이 길을 간다고 해서 육체적으로 위험하거나 상처를 받는다는 말이 아니고, 더더욱 끝까지 갈 수 없다는 말도 아니다. 당신이 잃게 될 것은 육체적인 손상보다 훨씬 더 값나가는 것이다. 이 점을 사전에 잘 생각해 보아야 한다.

여기 당신이 알아야 할 또 다른 사항이 있다. 우리들이 가야 할 길은 두 갈래로 갈라지지만, 결국에는 같은 지점에서 하나로 만나게 된다는 사실이다. 내가 당신에게 해줄 수 있는 일은, 좀 더 빠르고 안전한 길을 알려주어서 당신이 쓸데 없이 헤매지 않게 해주는 정도일 것이다.

준비가 되었는가?

"자, 이제 당신은 여행을 떠난다!"

제7장 두 갈래 길

하나님은 명확한 결정을 내리는 사람을 좋아하신다. 이 말은 당신이 이제 가능한 모든 옵션을 고려하였고, 비용과 이익 측면에서도 검토해 보았으며, 그 결과 앞으로 더 전진하기로 확신한 결정을 내렸다고 보는 것이다. 당신이 모세의 코드의 제2단계 레벨로 진입하기로 한 이상, 천사들도 당신의 앞길을 축복해 줄 것이다. 지금껏 당신이 꿈만 꾸어 오던 새로운 세계로의 발을 내딛어 부자.

두 개의 갈림길 앞에 서 있는 당신을 상상해 보라. 당신은 오른쪽 길로 인도하는 첫발을 내 딛는 것이 중요하다. 그 길은 갑자기 좁아질 것이며, 어디로 가고 있는지 분간조차 힘들 것이다. 그러나 당신의 가슴은 기쁨으로 고동치고 있을 것이다. 그 기쁨은 모세의 코드에 한발 더 가까이 다가

갔다는 설레임이자 자아가 아닌 영혼의 기대를 충족시킬 수 있다는 기대감이기도 하다. 마침내 우리들은 이 두 갈래 길의 차이를 알 수 있게 되었다. 지금껏 걸어왔던 길은 언제나 왼쪽으로 나 있었지만, 자아가 바라는 육체적인 욕망만을 채워주는 길이었다. 그 길은 하나님의 바람과는 거리가 멀었다. 그러나 이제 막 들어선 오른쪽 길은 영혼의 갈망을 채워주는 길이다.

차이가 무엇인가?

자아(Ego)로부터 시작해 보자. 여기에 우리들 의식의 이해하기 어려운 특성들이 있다.

● 자아는 모든 것은 분리돼 있다고 믿는다. 다른 말로 하면, 바로 옆에 앉아있는 사람도, 당신이 살고 있는 집도, 우리들을 포함하고 있는 이 우주조차도 당신과는 전혀 관계없는 별개의 존재라고 믿는다. 그리고 결과적으로 당신은 하나님과도 별개의 존재라고 믿는다.

● 그렇게 격리되어 있고 혼자이기 때문에, 당신은 삶을 유지하는데 필요한 모든 것들을 스스로 마련해야만 하고, 있을지도 모르는 외부의 공격으로부터도 자신을 스스로 지켜내야만 한다.

● 죽음만이 자아가 믿는 완전한 존재이므로 우리들은 항상 두려움 속에서 살아야만 한다. 하나님과 분리됨으로 인해서 우리들은 주변의 그 어떤 것이 삶을 앗아갈지 모른다는 불안에 떨며 살아야 한다. 즉, 모든 것이 두려움의 대상이다. 죽음으로부터 우리들을 지켜내는 유일한 방법은 비록 그것이 일시적이긴 하지만, 재물이건 명예건 부건 가능한 한 많은 것들을 끌어 모으고 소유하는 것이다. 가치가 나가는 것이라면 무엇이든지 좋다. 결국은 그런 것들이 삶을 지켜주지 못한다는 사실을 깨달을 때까지 자아는 그런 성향을 버리려 하지 않는다.

그러면 이제부터 영혼(soul)의 특성들을 살펴보자.

● 영혼은, 이미 모든 것을 소유하고 있다는 사실을 알기에, 무엇을 소유하려 하지 않는다. 영혼은 그것이 하나님의 마음과 잘 정렬되어 있다면, 모든 것이 정해진 방향대로 자연스레 흘러갈 것이라는 사실을 너무나 잘 알고 있기 때문이다. 풍요, 좋은 관계, 안전 따위와 같은 것들은 힘써 추구해야 할 목적이 아닌 자연스레 채워질 것이라고 본다.

● 자아는 필요한 것이라면 무엇이든지 다 가져야 한다

는 생각으로 '소유'를 추구하지만, 영혼은 필요한 것들이 이미 다 채워졌다는 사실을 알기에 '주는 것'을 추구한다.

● 영혼은 진정한 것은 결코 상처받거나 위협받을 수 없다는 진리를 알고 있다. 그러므로 영혼은 죽음조차도 진실이 아니라고 믿는다. 두려움이라는 감정도 넉넉히 극복해낼 수 있으며, 주변의 위험이나 실수로부터 자신을 잘 지켜낸다.

자아는, 아무리 좋은 말로 한다 해도, 결코 진실이 아니며 기껏해야 진실의 그림자 정도에 지나지 않는다. 그러나 지금껏 우리들은 삶의 모든 근거를 자아에 두고 환상 속에서 살아 왔다.

당신이 한쪽에 전등이 켜있는 어느 방안에 서 있다고 가정해보자. 불빛은 당신을 비출 것이고 그것은 방 한쪽에 당신과 거의 비슷한 형태의 그림자를 만들어 낼 것이다. 만약 당신이 그 방안에 오랫동안 서 있거나, 또는 무슨 일이 일어나서 당신의 기억을 빼앗겨 버린다면, 본래 육체에 대한 생각을 잊어버리고 아무런 실체도 없는 그 그림자에 생명력을 불어 넣고 그것을 실체라고 믿게 될 것이다.

그 그림자는 당신의 육체가 아니지만, 하나의 창조된

괴물로서 당신을 시도 때도 없이 괴롭힐 것이다. 당신이 움직일 때마다 그것도 따라 움직인다. 그러나 당신의 실제와 그림자가 하나였다는 사실을 이미 잊어버렸기 때문에, 이제는 그 둘의 관계를 인지해 낼 수조차 없을지도 모른다.

당신은 그림자를 만들어 낸 자신의 육체만 두려워하는 것이 아니라, 아무런 죄도 없는 빛까지도 두려워하게 될 것이다.

그러나 그 그림자가 과연 실제로 존재했던 것일까? 그것이 실재(實在)의 투사(投射)라고 믿는 게 더 정확하지 않을까? 이 추론에서 육체의 역할은 또 무엇이었을까?

그림자를 만들어 낸 육체는, 자아가 주장하는 그 어떤 것들보다도 더 사실에 가까운 당신의 영혼이다. 그리고 이것이야말로 우리들을 진환짐으로 인도해 준다. 내가 시금 하는 말은 그 본질을 파악하기가 이 책에서 읽은 다른 어떤 개념보다도 더 어려울 것이다. 그러나 그것이야말로 바로 모세의 코드의 본질에 다가가는 마지막으로 남아있는 아주 핵심적이고 중요한 성분이다. 여기가 우리들의 종착점이다. 모든 길은 여기로 통한다. 당신이 만약 이 단 하나의 진리를 받아들인다면, 그 실재 또는 본질은 당신 주위로 더 가까이 다가올 것이다.

"그림자를 드리우는 그 육체는 - 우리들은 그것을 영

혼이라고 부르는데 - 그림자만큼 실재적(實在的)이 아니다."

오직 빛만이, 결국 그것은 하나님이지만, 모든 것들에 앞서서 존재하였고, 모든 것과 함께 존재하였다. 당신의 목표는 이 진리를 잡는 것이고, 끌어안는 것이며, 최종적으로 흡수하는 것이다. 그런 후에 당신의 삶 속에 그 빛을 투사하는 것이다. 그러나 이러한 과업을 달성하기 위해서는 한 단계 한 단계 차근차근 앞으로 나아가야만 한다. 왜냐하면, 거기에는 어떤 지름길도 없기 때문이다. 그 일은 세 단계를 거치면서 일어날 것이다. 내가 정리한 세 단계는 이렇다.

1. 그림자: 자아를 반영한다.
2. 육체: 영혼을 상징한다.
3. 빛: 하나님을 나타낸다.

이 책의 조금 더 뒤에서 당신은 모세와 하나님과의 상징적인 대화를 들으면서 이러한 개념들을 다시 정리하게 될 것이다. 그 대화는 사실 오늘날 당신이 매일매일 살아가면서 하나님과 나누는 대화이다. 하나님은 거기에 대한 대답을 충분히 해 주셨지만, 당신이 하나님의 음성이 주는 심각성을 깨닫지 못하고 지나치며 살아왔던 것뿐이다. 당신은 그중에서 현실과 맞아 떨어지는 아주 사소한 부분만을 들었을 것이다.

이제는 그 하나님의 음성 전체를 놓고 생각해 볼 때이다. 왜냐하면, 이제 지금부터 떠나려고 하는 모험은 적어도 당신 자아의 관점으로 볼 때는 미지의 영역에서 벌어지는 일들이기 때문이다.

연습 7: 하나님의 영혼이 진정으로 원하는 것

당신의 영혼이 갈망하는 것들의 리스트를 만들어 보자. 그것들은 아마도 사랑, 기쁨, 연민, 동정 같은 단어들을 포함하리라. 당신의 목적은 그것들이 숨겨져 있는 창고의 문을 열어서 되도록 많은 사람들과 나누는 일일 것이다.

모세의 코드를 활용하여 위에 적은 그 각각의 특징들의 감정을 느끼고 그것들을 자극해보라. 사랑의 감정이 샘솟는 순간을 경험해 보고 싶다면 숨을 들이쉬면서 "나는 사랑이다."라고 읊조리라. 그 감정이 당신의 가슴을 가득 채우게 하라. 그리고 숨을 내쉬면서 다시 반복하라. "나는 사랑이다." 그러면서 하나님께서 당신과 함께 이 감정을 온 세상으로 확장시킨다고 느껴보라. 그런 감정 상태가 당신의 현실 속에 살아나도록 그 읊조림을 계속 반복하라. 충분히 채워졌다고 느끼면 그 다음 항목으로 옮겨가도 좋다.

이 과정은 영혼이 지금껏 갈망해 왔으나 당신 자신 속에 꼭꼭 숨어있던 자신의 특별한 성품을 이끌어내는데 매우 효과적이고 강력한 도구이다. 이 연습과정을 끝냈으면, 조용히 명상 속에서 몇 초 간을 침묵에 잠겨 보라. 아마도 당신은 전혀 다른 에너지를 느낄 수 있을 것이다. 당신의 에고가 이해하고 있는 것과는 전혀 다른 감정이 가슴속을 가득 채우고 있다는 기분이 들지 않는가? 만약 그렇다면 당신은 아주 훌륭히 이 수련을 받고 있는 것이다.

제8장 영성(靈性) vs 종교성(宗敎性)

1995년에 닐 도널드 월쉬가 쓴 『하나님과의 대화 - Conversation with God』라는 책이 출간되어 전 세계를 흥분의 도가니로 만들었다. 이 책은 자그마치 뉴욕타임즈 베스트셀러 리스트에서 2년간이나 1위의 자리를 지켰으며, 그 이후로 이 기록을 깬 다른 책은 아직 나오지 않았다. 그때까지도 많은 사람들은, 하나님은 인간들과 대화를 멈춘 적이 없다는 사실과, 우리들이 마음만 먹으면 언제 어느 때나 하나님과 대화를 나눌 수 있는 길이 열려있다는 사실을 인정하려 하지 않았다.

하나님은 성경이나 다른 신령한 책자에 나오는 아주 위대한 예언자들에게만 말씀하실 뿐이라고 믿는 것이 그때까지의 일반적인 통념이었다. 오늘날의 우리들과 같은 보통 사람들에게도 나타나 말씀하신다는 건 있을 수 없는 일이라고 여겨졌다.

그러나 지금까지 우리가 발견한 바로는 불가능한 건, 특히 이 주제와 관련해서 볼 때는 아무것도 없다.

닐이 자신의 하나님을 조우하게 된 이야기는 아마도 당신의 이야기와 별반 다르지 않을 것이다. 닐이 하나님을 만난 때는 그가 그의 삶 속에서 모든 것을 다 잃었을 때였다. 그가 가슴 속에서 울려나오는, 자신이 알아듣기는 했지만 전혀 믿을 수 없었던 소리를 들었을 때 그는 사다리의 맨 밑바닥에 있었다. 그것은 하나님의 음성이었다. 그리고 하나님과의 대화가 시작되었고, 그 대화는 그가 지금까지 보아왔던 자신과 세상과 하나님과의 관계를 완전히 다른 관점에서 바라보게 해 주었다.

당신은 지금까지 몇 번이나 가슴이 무너져 내리고 모든 것이 다 끝난 것 같은 감정을 느꼈는가? 그리고 몇 번이나 내부의 음성이 모든 게 잘 될 거라고 속삭이는 소리를 들었는가?

사실 하나님과 우리들 사이에는 언제나 통화할 수 있는 전화선이 연결되어 있었다. 하나님은 우리들의 대화에 자신도 끼어주기를 바라신다. 그러나 그와는 반대로 우리들은 하나님의 간섭 없이도, 끝없이 일어나는 문제들을 혼자서 모두 해결해 낼 수 있다고 믿으면서 살아왔던 것이다.

그러나 우리들이 하나님과의 관계를 기억해내고, 일단 하나님의 끝없는 지혜의 문을 두드리고 나서 생각하고, 말하고, 행동하게 된다면 어떤 일이 벌어질까?

하나님은 당신의 삶에 아주 작은 부분까지도 세심하게 간섭하실 것이며, 당신이야말로 자신이 정성들여 창조한 피조물임을 다시 한 번 기억하실 것이다. 여기서 잠시 생각을 멈추자. 이 대목은 그만큼 중요하니까 두 단락으로 나누어서 조목조목 살펴보기로 하자.

"하나님은 당신의 삶의 아주 자세한 부분까지도 간섭하신다."

이 부분은 대개의 사람들이, 만약 신앙심이 약간이라도 있는 사람들이라면, 다 인정하는 부분이다. 종교적인 삶의 모든 포인트는, 하나님이 오늘도 살아계셔서 우리들을 지켜보고 계시다고 믿으며, 우리들 삶의 매 순간마다 임재하심을 느끼면서 살아간다는 데에 있다. 내가 '영적'이라는 단어 대신에 '종교적'이라는 단어를 사용했음에 주목하라. 나는 하마터면 '영적인 삶의 모든 포인트'라고 쓸 뻔했다. 그러나 그 말은 원래 내가 표현하려고 의도했던 바를 제대로 전달할 수 없다.

그렇다면 종교적인 사람들과 영적인 사람들의 차이는 무엇일까? 내 친구가 몇 년 전에 내게 해 준 말을 들려주겠다. 그는 말하기를, "그 차이는, 종교적인 사람들은 지옥을 믿는 사람들이고, 영적인 사람들은 지옥을 경험한 사람들이다."라고 요약하였다. 그 표현이 귀엽게 들릴지도 모르지만, 사실 그 말은 맞는 말이다. 그 밖에 어떤 차이가 있을까?

● 종교적인 사람들은 저기 어딘가 천국에 하나님이 있다고 믿는 반면, 영적인 사람들은 그들과 하나님의 사이에 간격은 없다고 믿는다.

● 종교적인 사람들은 죽어야만 천국을 볼 수 있다고 믿지만, 영적인 사람들은 "하나님의 나라는 너희 안에 있느니라."라는 말을 전적으로 신뢰하는 사람들이다.

● 종교적인 사람들은 하나님은 거룩하지만 자기들은 그렇지 못하다고 믿는 반면, 영적인 사람들은 하나님에 의해서 창조된 모든 피조물은 하나님과 하나라는 사실을 알고 있는 사람들이다.

● 종교적인 사람들은, 하나님의 사랑은 조건적이라서 언제든지 거두어 갈 수 있다고 믿는 반면, 영적인 사람들은 하나님의 사랑은 조건이 없으며 영원무궁하다고 확실하게 믿는다.

나의 이러한 주장이 종교적인 사람들이라고 해서 반드시 그렇다는 것은 아니기 때문에 상당히 조심스럽다. 나는 또한 종교적이면서도 동시에 영적일 수가 있다는 사실도 충분히 알고 있다. 내가 진정으로 전달하고자 하는 메시지는, 영적인 사람들은 사고력과 논리력의 범위를 벗어나서 존재하는 하나님을 경험한다는 사실이다. 그들의 하나님 체험은 종교적이거나 영적인 전통을 초월한다. 영적으로 더 깊이 체험하면 할수록 더 우주적이 된다는 말이다. 기독교 신학에는 여타 종교들, 예를 들면 회교나 유대교가 갖고 있는 것보다도 훨씬 더 심오한 영성이 담겨 있다.

"당신은 하나님이 정성들여 창조해 내신 피조물이다."

당신은 우주에서 지구를 내려다 본 비행사들의 이야기를 알고 있는가? 처음으로 지구의 그 장엄한 광경을 보았을 때 그들은 지금껏 자기들이 갖고 있던 삶의 모든 경계가 허

물어졌노라고 고백했다. 지구 전체를 한 눈에 바라보자 지금껏 생각해 왔던 국경이란 개념이 아무런 의미가 없게 되었다고 고백했는데, 그건 마치 어느 종교에 심취한 신비주의자가 오직 자기의 신만을 찾아 헤매다가 마침내 거기에서 탈피하게 되는 행동에도 비교할 수 있다.

이 두 번째 단락, '우리들은 하나님이 정성들여 만든 존재'라는 말은 사실 우리들이 주일학교에서 배운 것과는 상당히 거리가 멀다. 나는 가톨릭교회의 주일학교에서 그런 말을 거의 들어 본 적이 없이 자랐다. 오히려 우리들이 배운 내용은 그와는 정반대였다. 즉, 우리들은 죽을 수밖에 없는 죄인으로 태어났기 때문에 회개와 세례를 통하여 다시 태어나야 한다는 내용이었다. 만약 세례를 받기 전에 죽게 되면, 우리들은 영원한 지옥 불에 던져진다고 배워왔다.

그래도 내가 약간의 위안을 받았던 것은, 하나님은 세례받기 전에 죽은 어린이들을 위해서 특별한 장소를 마련하여 주셨다는 정도였다. 명백하게, 림보라는 곳은 천국과 지옥 사이에 존재하며 그런 불쌍한 영혼들을 위해서 마련된 장소라는 것이다. 이 교리에 따르면, 비록 그들이 하나님을 보지는 못하지만 적어도 영원히 타는 지옥 불에서의 고통만은 피할 수가 있다는 것이다. 이것은 하나님의 작은 자비임에 분명하다.

여기가 바로 종교적인 사람들과 영적인 사람들의 차이가 극명하게 대비되는 대목이다. 종교적인 사람들은 우리들은 죄인으로 태어났으며 구원받아야 할 대상이라고 믿지만, 영적인 사람들은 구원은 필요 없다고 보는 것이다. 다른 말로 하면, 당신은 창조될 당시에 이미 그 자체로 완전한 존재이며, 그 창조의 원천인 하나님의 사랑을 바꿀 것은 아무 것도 없다는 믿음이다.

대개의 기독교인들은, 예수님의 역할은 우리들의 죄를 사면해주는 것이고, 우리들을 하나님의 거룩하심과 하나가 되도록 통일시켜 주는 것이라고 믿는다. 반면에 영적인 사람들은, 예수님의 역할은 죽음까지도 이기심으로 해서 영혼의 무한정한 가능성을 보여주면서, 진정한 사랑의 의미를 우리들에게 나타내 보여주시는 것이라고 믿는다.

자, 이제 진정한 대화가 시작되었다. 이 대화에는 불평등도 없고 불균형도 없으며, 오직 사랑과 통합만이 있을 뿐이다 이곳이 바로 모세의 코드에 어울리는 곳이다. 하나님이 타오르는 떨기나무의 형태로 모세의 앞에 나타나셨을 때, 하나님은 그때까지는 존재하지 않았던 하늘과 땅의 연결고리에 대하여 말씀하셨다.

하나님은 모세에게 그의 거룩한 이름을 가르쳐 주셨다. 오늘을 사는 우리들에게는 이 장면이 역사적인 기회로 보이지 않을지라도 분명 당시의 모세와 이스라엘 백성들에게는 그렇게 보였던 것이다.

당신이 상대방의 이름을 모르는 상태에서 그 사람과 깊이 있는 대화를 하기는 사실상 참 어렵다. 만약 단지 타이틀만을 알고 있었다면, 여기서는 거룩하신 하나님 또는 전능하신 하나님이 되겠지만, 어떤 친근감도 형성될 수가 없다. 친근감 또는 유대감이란 교감의 목적이며 깊은 대화를 통해서만 가능한 것이다.

모세는 우리들이 하나님과 깊은 대화를 할 수 있는 통로를 만들어 주었다. 모세보다 몇 백년 후에 태어난 솔로몬왕이 하나님을 친근한 연인으로 묘사한 경우가 있다. 그는 하나님과 자신의 관계를 도달할 수 없거나 접근할 수 없는 상태로 보지 않았으며, 오히려 사랑할 수 있는 황홀한 연인 사이로 보았던 것이다.

"내게 입 맞추기를 원하니, 네 사랑이 포도주보다 나음이로구나." - 아1:2

기독교의 많은 성자들, 예를 들면 세례자 요한, 아빌라의 테레사, 그리고 아시시의 프란시스와 같은 사람들 역시도 이런 황홀감을 맛본 훌륭한 인물들이었다. 이슬람교에 있어서는 음유시인 루미의 경지까지 오른 사람은 없었다. 그의 시를 읽어보자.

사랑하는 이의 포도주를 마시니 병이 들었구나.
몸은 고통 속에 있고 뜨거운 열이 온 몸을 덮고 있구나.
의사가 내게 차를 권하네.
그래, 차를 마실 시간이야.
약을 먹으라 하네.
그래, 약을 먹을 시간이야.
의사가 내 입술에 묻은 포도주를 닦으라 하네.
이제는 의사마저도 보내야 할 시간이네.

이 시에서 하나님은 달콤한 존재로 묘사되어 있다. 우리들은 이 달콤한 술을 먹자마자 취해 버렸으며, 지금껏 갖고 있었던 자아를 잃어버렸다는 것이다.

여기서 우리의 질문은 하나님이 우리에게 디가오시는가, 아니면 우리가 하나님에게로 다가가야 하는가이다.

만약 세월이 가면 갈수록 하나님이 우리들에게 더 가까이 다가온다면, 그건 하나님의 사랑이 조건적이라는 의미가 되는 것이다. 다른 말로 하면, 하나님이 우리들을 더 많이 알면 알수록 더 많은 연민과 자비가 우리들 쪽으로 흐르게 된다는 말이다.

그러나 이런 사상은 인간과 하나님의 관계를 더욱 타산적으로 만들기 때문에 매우 위험하다. 인간은 하나님이 주신다는 것을 확실히 알기 전에는 하나님께 기꺼이 드리려 하지 않는 경향이 있다.

하나님이 주시기만 한다는 관점은 인간의 측면에서 보면 불가능하다. 만약 우리들이 에너지나 자원을 다른 사람들에게 다 주어버리면, 다른 말로 해서 다른 사람들을 위해 다 써버리면, 우리들에게는 아무것도 남지 않고, 그 결과 더 이상 줄 것이 없게 된다. 우리들의 에너지가 다 고갈되고 나면 우리들은 죽을 것이고… 그러면 그 다음은? 우리들이 즐겨 쓰는 "준다."는 말의 의미는 바로 이런 것이다.

"네 자신의 한계를 알라. 그리고 네가 줄 수 있는 것 그 이상을 주려고 하지 말라."

자, 이제 사고의 틀을 바꾸어서 하나님이 주시는 방식을 알아보자,

우리들 대다수는 하나님은 '분리'라는 단어를 좋아하지 않으실 거라는 생각을 갖는다. 이것이 무슨 말인가 하면, 하나님의 세계 안에는 우리들이 필요로 하는 모든 것이 다

있으며, 그 하나님의 '모든 세계'를 벗어나면 아무것도 없다는 말이다.

물리학은 우리들에게 에너지는 창조될 수 없고 소멸될 수 없으며, 그것은 단지 이쪽에서 저쪽으로 이동할 뿐이라고 가르치고 있다. 만약 그렇다면, 우리들이 다른 사람들에게 준 것은 단지 에너지의 교환에 지나지 않으며, 하나님의 관점에서 본다면 그것은 결국 아무 곳으로 간 것도 아니라는 결론이 성립한다.

더 간단히 이야기 해 보자. 그 에너지는 그 원천인 하나님으로부터 떠나지 않았다. 에너지가 또는 물질이 어느 한 사람으로부터 다른 사람에게로 이동한 것처럼 보일지라도, 그건 맨 처음부터 원래 있던 곳에 그대로 있는 것이나 똑 같다는 말이다.

"새로운 세상에 온 걸 환영한다!"

지금까지의 이야기는 우리들에게 단지 한 가지 가능성만을 남겨놓고 있다. 주는 것과 받는 것은 두 개의 서로 다른 행동이 아니라, 결국 하나라는 말이다.

오, 영혼의 주인이시여,

제가 위로받으려고 하는 만큼
그렇게 많이 위로하지 못했음을 인정합니다.
이해받으려고 하는 만큼 이해하지도 못했습니다.
사랑받으려고 하는 만큼 사랑하지도 못했고요.
이제야 알았습니다.
받는다는 것은 결국 주는 것이며,
용서받는다는 것은 결국 용서하는 것이고,
영원한 삶으로 거듭 태어나려면
결국 죽어야만 가능하다는 것을.

- 아시시의 프란시스

모세의 코드의 목적은 우리들이 하나님과 친밀한 관계를 경험하고, 그 경험을 다른 사람들에게 나누어 주려는 데 있다. 우리들은 이 세상에 하나님을 닮으려고 태어났지만, 하나님을 온전히 이해하기 전에는 그렇게 될 수 없다. 이해라는 것은 오로지 어떤 사람이나 사물과 관계를 맺거나 소통을 해야만 가능하다. 만약 누군가를 이해하려고 하면, 그 사람과 아주 깊게 소통을 해 보아야만 한다. 모세가 주는 것은 하나님의 거룩한 이름이며, 우리들은 그 이름을 가지고 하나님께 더 가까이 다가갈 수가 있는 것이다.

연습8: 하나님과 대화하기

이제는 우리들도 모세가 한 것처럼 하나님께 더 친근하게 다가가야 할 때이다. 이 단계가 되기까지 당신은 모세의 코드를 이용하여, 당신 삶에 지금은 없지만 필요한 것들을 끌어당기는 연습을 했다. 그 결과 영혼이 더욱 간절히 갈망하는 것들을 채우는 방법까지도 터득하였다. 이제는 그런 기술들을 하나님께 연결시키는 데까지로 확장해야만 한다.

삶에서 필요한 어떤 것들을 꿈꾸며 숨을 내쉬는 게 좋다고 느껴질 때도 있을 것이다. 또 다른 때에는 그 말들을 읊조리면서 당신의 에너지를 발산하는 게 필요할 때도 있을 것이다. 이런 때는 숨을 들이쉬는 게 편하게 느껴질 것이다. 지금은 숨을 들이쉬건 내 쉬건 그게 문제는 아니다. 왜냐하면, 이 과에서의 목표는 지금껏 연습해 온 것들과 다르기 때문이다.

당신의 목적은 모세가 하나님과 대화하였듯이 그렇게 하나님과 대화를 나누는 것이다. 이 대화라는 주제에 포커스를 맞추기 바란다. "I AM THAT(나는 그것이다)"라는 말을 소리 낼 때, 당신이 글자 그대로 하늘과 땅 사이에 연결된 존재라고 믿기 바란다. "I AM(나는/나도)"라고 말할 때는 하나님이 실제로 당신에게 대답한다고 느끼면서 하나님과의 관계가 단단해졌다고 생각해야만 한다. 하나님과 당신이 완전히 하나가 됐다고 느낄 때까지 이 과정을 반복하라.

제9장 계몽의 확산이론

레이거노믹스의 이론을 모세의 코드에 적용시킨다는 게 약간은 이상하게 들릴지 모르지만, 그렇게 함으로써 우리들은 자아의 갈망과 영혼의 동결 사이에 존재하는 근본적인 차이를 어느 정도 이해할 수 있을 것이다. 자아(ego)는 죽음으로부터 자신을 지켜내려고 가능한 한 많은 물질과 돈을 축적하며 자신의 안락만을 추구한다. 반면에 영혼(soul)은 삶과 죽음이 별개의 분리된 현상이 아니라는 사실을 살 알기 때문에, 되도록 많은 것을 주려고 한다.

당신이 가지고 있지 않은 것을 줄 수는 없다. 영혼도 이러한 사실을 잘 알고 있기에 언제나 가능한 모든 걸 다 주려고 한다.

언젠가 마더 테레사가 말했다.

"내가 굶주리고 있을 때 누군가를 내게 보내 주소서. 그래서 내가 그를 먹일 수 있도록. 내가 목말라 있을 때 누군가를 내게 보내주소서. 그래서 내가 그의 갈증을 풀어주도록."

테레사 수녀는 프란시스의 기도가 옳았음을 진작부터 알고 있었던 것이다.

"남을 사랑할 수 있게 우리들도 사랑받게 하소서. 왜냐하면, 우리들이 받는 것은 곧 주는 것이기 때문입니다. 그리고 우리들이 영원한 삶에서 거듭나는 길은 곧 죽음이기 때문입니다."

자아는 갖기를 원하지만 영혼은 주기를 원한다는 것, 바로 이것이 그 둘의 근본적인 차이이다.

모세의 코드의 첫 번째 단계에선 간절히 갖기를 원하지만 아직까지 갖지 못한 것들을 끌어 모으는 자기실현의 강력한 도구를 사용했다. 여기서 우리들이 다시 한 번 분명히 해 둘 필요가 있다. 그런 우리들의 행위가 전혀 잘못되지 않았다는 말이다!

그건 사실 살아가면서 아주 당연한 과정이다. 그렇지만 분명히 해 둘 것이 또 하나 있다. 그건 단지 모세의 코드의 첫 번째 단계라는 말이다. 이러한 테크닉을 모두 완벽하게 습득하고 자기들이 원하는 모든 물질이나 부를 다 소유한 사람들을 보면서, 마치 젖과 꿀이 흐르는 약속된 땅에 들어간 것 같은 환상 속에 빠져있는 사람들을 보면서, 어쩌면 우리들은 유혹을 느낄지도 모르겠다.

불행히도, 나머지 단계를 이해하지 못하고 시작 단계만을 마스터한 사람들은 진정한 갈망을 채울 수 없다. 이런 갈망은 오직 영혼에 의해서만 채워질 수 있기 때문이다.

영혼은 그런 단계의 자질구레한 것들을 걱정하지 않는다. 왜냐하면, 그런 것들은 높은 수준의 갈망이 채워지면 자동적으로 따라온다는 사실을 알기 때문이다. 영혼이 관심있어하는 분야는 이 지구상의 물리적인 세계를 뛰어넘어, 저 밀리 영원한 세계에 있는 평화, 사랑, 연민, 관심, 동정, 부드러움 등이다. 그것은 성령의 자비에 초점을 맞춘다.

예수님도 말씀하셨다.

"너희를 위하여 보물을 창고에 쌓아두지 말라. 거기는 좀과 동록이 해하며 도적이 구멍을 뚫고 도적질하느니라. 오직 너희를 위하여 보물을 하늘에 쌓아두라. 거기는 좀이나 동록이 해하지 못하며, 도적이 구멍을 뚫지도 못하느니라. 네 보물이 있는 그곳에는 네 마음도 있느니라." - 마6:19

나는 이 계몽의 확산이론을 좋아한다. 예수님은 말씀하시기를 오직 영원한 선물만이 우리들에게 가치가 있으며, 그리고 거기에 우리들이 주의를 집중할 때, 그 나머지 것들은 자연스레 따라온다고 하신다. 예수님의 가르침을 더 들어보자.

"그러므로 염려하여 이르기를, 무엇을 먹을까, 무엇을 마실까, 무엇을 입을까 하지 말라. 이는 다 이방인들이 구하는 것이라. 너희 천부께서는 이 모든 것이 너희에게 있어야 할 줄 아시느니라. 너희는 먼저 그의 나라와 그의 의를 구하라. 그리하면 이 모든 것을 다 너희에게 더하시리라." - 마 6:31 ~ 33

다른 말로 하면, 당신이 높은 단계의 것을 구하면 그 아래 것들은 자연스레 따라온다는 말이다. 여기에서의 핵심은 가장 높은 단계의 것을 - 예수님은 그것을 '하나님 나라'라고 표현하셨는데 - 추구하는 데에 있다.

우리들을 향한 하나님의 뜻이 온전한 기쁨에 있기 때문에, 우리들이 삶을 영위하는데 필요한 의복이나 음식, 집 같이 덜 중요한 것들은 쉽게 우리 삶으로 흘러들어온다는 말이다.

욕망의 피라미드

여러 계단으로 이루어진 피라미드를 상상해 보자. 그리고 '욕망의 피라미드'라고 이름 붙이면 어떨까? 피라미드의 맨 위쪽, 제일 높은 계단에는 천국 또는 하나님 나라가 있다. 그 다음에는 사랑과 평화가 가득 채워진 '높은 단계의 삶의 욕구'란 계단이 있을 것이다. 그 밑의 계단들은 우리들의 세상적인 욕망들, 예를 들면 돈이나 일상생활의 필요 같은 것들이 자리 잡고 있을 것이다. 우리들은 이런 것들을 '낮은 단계의 삶의 욕구'라고 부른다.

자, 당신은 지금껏 욕망의 피라미드에서 어느 단계에 집중해 왔었는지 자문해 볼 시간이다.

제일 높은 단계를 달성하는 문제에 대하여 생각해 보자. 그 단계는 죽음 이후의 세계에서가 아닌, 지금 우리들이 살고 있는 바로 이 현실세계에서 하나님 나라 또는 천국을 실현하는 단계이다. 목표는 하늘의 선물을 맛보는 것인데, 우리들이 이 목표를 달성하게 되면 여기서 얻어진 에너지는 그 밑의 두 번째 단계로 자연스레 확산되어 나갈 것이다. 그 결과 우리들의 삶 근처에는 사랑과 평화가 넘쳐나게 될 것이다. 두 번째 계단이 채워지게 되면, 거기에 가득 채워진 에너지는 그 다음 단계인 '낮은 단계의 삶의 욕구'들로 넘쳐

흐르게 될 것이다. 이제 당신은 하나님의 계획에 따라 삶의 구석구석과 순간순간에서 성공을 느끼며 풍요를 만끽하게 될 것이다.

그렇지만 당신이 삶의 낮은 단계의 욕구들에만 초점을 맞춘다면 어떻게 될까? 당신이 이제 그 목표를 달성하기 위해 모세의 코드를 활용한다고 가정해 보자. 하나님은 언제나 당신이 원하는 모든 것들을 줄 준비가 되어 있으시기 때문에, 당신은 쉽게 목적을 이룰 수 있을 것이며, 당신의 은행계좌는 풍족한 돈으로 넘쳐날 것이다.

역시 '계몽의 확산이론'이 작용한다고 보면, 이 욕구의 밑에 있는 단계들조차도 채워질 것임에 분명하다. 당신은 집을 사고, 차를 사고, 필요한 모든 것들을 구입할 수 있을 것이며 삶은 더 풍족해질 것이다. 당신은 또 사회적인 지위까지도 얻게 됨으로 해서 다른 사람들로부터 출세의 사닥다리에 올라섰다는 소리를 듣게 될 것이다.

그러면 물질적인 부와 명예 위에 있는 단계들은 어떻게 될 것인가? 필요한 돈은 얻었지만 가정에 평화가 없고 더 많은 것만을 계속 추구한다면, 그 삶을 두고 성공한 삶이라고 할 수 있을까? 아마도 여러분들 중 대다수는 영혼이 추구하는 목표인 '하나님 나라'를 맛보지 못하고 살 가능성이 아주 높다. 그것이 바로 당신이 많은 돈을 소유하였다 할지라도 결코 행복해질 수 없고 만족한 삶을 살 수 없는 이유이다. 처음에는 당신은 단지 더 많은 것에만, 여기서는 돈에만 초점을 맞추었었다. 그러나 당신이 아무리 많은 돈을 벌었다 해도 뭔가 채워지지 않은 것 같은 느낌은 여전히 남아있게 된다. 예수님은 말씀하신다.

"사람이 만일 천하를 얻고도 제 목숨을 잃으면 무엇이 유익하리요." - 마10:26

영혼의 갈망을 채우는 것, 이것이야 말로 오직 유일한 목적이 되어야만 하는데, 우리들은 아직까지 이 사실을 모르면서 살아왔다. 당신의 영혼을 영원히 빼앗긴다는 게 현실적으로는 불가능할지도 모른다. 그렇다고 해서 그 말을 무시해서는 안 된다.

영혼이 추구하는 목표는 우리들이 그 가치의 중요성을 깨닫고 더 이상 부정하지 않을 때까지 점점 더 중요한 가치로 다가올 것이다. 영혼의 욕구를 무시하는 행위는 당신에게 고통만을 안겨줄 것이다. 왜냐하면 당신은 하나님 나라를 추구하여 당신의 영혼을 만족시켜 주든가, 아니면 세상적인 삶에만 집착하면서 영혼의 욕구를 외면하든가, 둘 중의 하나를 선택해야만 하기 때문이다. 좋은 집에 살면서 더 빠른 차를 타고 다녀도 무엇인가가 계속 공허한 상태로 남아 있다면, 그게 과연 만족한 삶인가?

이게 바로 우리들 대다수가 처해있는 현실이다. 그런데 모세의 코드는 여기에서 탈피해 우리들을 궁극적인 목표인 '만족한 삶'으로 나아가도록 길을 열어준다.

이제야말로 우리들의 최종 목표가 하나님의 성품을 닮아가는 것이라는 데에 동의해야만 한다. 그래야만 영혼의 갈망을 채울 수 있고, 필요한 모든 것들이 이미 우리들 속에 있다는 사실을 깨닫게 될 것이다.

그런 깨달음이 이번에는 우리들을 영원한 평화의 나라로 인도하여 줄 것이다. 하나님은 주시기만 하신다. 그러므로 우리들은 이미 모든 것을 다 받았다.

연습 9: 당신의 욕망 피라미드

계몽의 확산이론을 이용하여 당신 자신의 피라미드를 그려보라. 그 그림을 가능한 한 크게 그려서 각 단계마다 몇 자씩 적을 수 있도록 하라. 꼭대기부터 시작하라.

당신은 예수 그리스도가 말한 하나님 나라, 천국, 교회, 그리고 완전한 사랑 같은 개념들을 어떻게 묘사할 것인가?

그런 글자들을 꼭대기에 적으라.

이제는 피라미드의 맨 밑으로 가서 당신이 생존하기 위해서 꼭 필요한 것들을 적어보라. 여기에는 음식, 집, 의복 같은 것들이 포함되리라. 이것들은 당신 삶에 가장 기본적으로 필요한 품목들이다. 자, 이제 어디에 초점을 맞출 것인가?

당신은 기본적인 삶의 풍요를 꿈꾸며 거기에 포커스를 맞출 수도 있고, 하나님으로부터 더 많이 인정받는 데에 초점을 맞출 수도 있다.

기본적인 삶 바로 위 단계에서 필요한 것들은 무엇일까? 아마도 그것들은 당신의 감정이나 욕구를 충족시켜주는 것들이리라. 제일 꼭대기와 맨 밑바닥의 사이에 그것들을 적어 놓으라. 얼마나 더 많은 단계들을 생각해 낼 수 있는가? 신체적, 물리적, 또는 감정적인 욕구 이외에 얼마나 더 많은 단계들을 피라미드에 추가할 수 있을까?

약간 시간이 걸리더라도 여기에 몇 가지 단계를 더 추가해보고 난 후, 잠시 생각에 잠겼다가 자기 자신에게 냉정하게 질문해보라. 나는 그중 어느 곳에 초점을 맞추고 있는가? 우리들은 '계몽의 확산이론'을 통하여 우리들이 초점을 맞춘 단계의 하위 단계들은 저절로 채워진다는 사실을 배웠다. 예를 들면, 만약 당신이 육체적인 필요에만 초점을 맞추었다고 가정해보자. 그러면 그 위의 모든 단계들은 채워지지 않은 채로 그냥 그대로 있게 된다.

피라미드 그리기를 완성한 후에, 가능하면 가장 높은 단계에 초점을 맞추는 것을 잊지 말라. 당신에게 오직 하나의 목적은 하나님의 나라를 완성하는 것이어야 한다. 이 사실을 명백히 인지하고 있을 때라야만, 당신의 다른 욕구들이 저절로 채워질 것이다.

제10장 하나님처럼 바라보기

모세의 코드의 첫 번째 단계에서 우리들은 "나는 스스로 있는 자니라."라는 하나님의 이름 속에 숨겨져 있는 능력을 이용하여 우리들의 자아(ego)가 느끼기에 아직도 갖고 있지 못하다고 생각되는 것들을 채우는 방법, 그래서 결과적으로 우리들의 삶이 풍요로워지는 방법을 배웠다.

이 단계는 영적으로 온전한 자가 되기 위한 첫 번째 단계라고 할 수 있다. 하나님, 또는 우주의 힘이 내 안에 있다는 사실을 깨닫는 것, 그래서 그 힘을 이용하여 무엇이든지 이룰 수 있는 방법 말이다. 당신이 부를 원했다면 그렇게 될 것이다. 멋진 집을 원했다면 그 또한 그렇게 될 것이며, 완벽한 인간관계를 원했다면 곧 그 소원대로 될 것이다.

그러나 그런 모든 것들은 결국 모세의 코드의 첫 번째 단계이며, 우리들의 최종 목표가 아니라는 사실을 자각하는 게 무엇보다도 중요하다. 당신이 초점을 맞춘 것을 얻는 매 순간마다 당신의 자아(ego)는 만족을 얻을 것이다. 문제는 당신의 자아는 끝없이 요구하며 결코 만족할 줄 모른다는 데 있다. 당신은 이 사실을 알아야만 한다. 즉, 하나의 목표가 이루어지면 바로 그 처음의 욕구를 발생시킨 당신 내면의 욕구는 전혀 만족하지 않은 채로 아직도 거기에 그대로 있다는 사실 말이다. 그러면 당신은 그 다음 항목으로 넘어가게 된다. 그리고는 또 그 다음 항목으로… 결코 깊이를 잴 수 없는 깊고도 깊은 우물 속으로.

매번 회를 거듭해가면서 이런 과정을 거치다보면, 당신은 마침내 깨달음에 도달하게 된다. 나의 끝없는 욕구를 채워 줄 그 무엇은 결코 바깥 세상에 있지 않다는 사실을.

이제는 새로운 전략이 필요할 때이며, 내면의 세계를 들여다보아야 할 때이다.

당신은 이제 모세의 코드의 제2단계, 내가 전에 영혼을 상징하는 몸통이라고 부른 바로 그 두 번째 단계로 이동할 준비가 되어 있다. 지금까지 당신은 우리들의 자아는 결코 밖에서 채워질 수 없으며, 진정한 만족이란 우리들이 하나님의 속성을 알아가는 데서 나온다는 사실을 깨달았다. 이제 우리들의 초점을 영혼에 맞추어 보기 위해서 내가 전에 말했던 그림자의 과정으로 돌아가 보자. 물체에 빛을 비추면 바닥에 그림자가 생긴다. 그러나 그것은 실체가 아니다. 초점을 그림자가 아닌 바로 그 실체로 옮겨보자.

만약 그림자가 자아의 다른 표현이라면, 실체는 영혼이 되어야만 한다. 지금까지 오면서 자아의 욕구를 채우는 것이 허망하다는 사실을 깨달은 이상, 우리들은 이 방향으로 주의를 전환해야만 하는 것이다.

제2부에서 다루고자 하는 영혼의 기본 자질들은 무엇인가?

- 평화
- 사랑
- 은혜
- 기쁨
- 인내

이것들은 현세에도 있고 천국에도 있는데, 여기서 말하는 천국이란 우리들이 죽어야만 가는 곳이 아닌 바로 우리들 마음속에 있는 그 장소를 말한다. 이런 여러 가지 특질들이야 말로 이 세상을 우주의 법칙인 하나 됨의 실체와 연결시켜주는 견고한 다리 역할을 한다. 자아와 영혼은 우리들을 이런 다차원적인 세계로 실어다주는 차량과도 같다. 예를 들어보자. 만약 당신이 차를 운전해서 해변에 도착했는데 이제 더 이상은 갈 수 없다고 치자. 이제 당신에게는 저 건너편에 있는 섬으로 실어다 줄 보트가 필요하다. 그러나 보트로 갈만한 시간적 여유가 없을 때는 더 빠른 비행기가 필요하다.

자아는 차와도 같다. 그것은 당신을 육지 어느 곳에든지 데려다 줄 수는 있지만, 그 이상은 안 된다. 보트는 당신을 많은 시간이 경과한 후에 건너편 섬으로 데려다 줄 수 있을 뿐이다. 그러나 비행기는 어느 영역이건 구애를 받지 않으므로 당신이 원하는 어느 곳에라도 데려다 줄 수 있다. 당신이 높은 산 너머에 있는 사막을 여행하고 싶다고 해도 문제될 것이 없다. 높이 올라갈 수 있는 비행기의 능력이야 말로 지상의 그 어느 장애물에도 구애를 받지 않는 것이다.

이 책의 제1부에서 당신은 차를 운전하고 있었고 자아는 모든 것을 책임지고 있었다. 그런 다음, 당신은 보트에 옮겨 탔고 당신의 영혼은 차가 도달하지 못하는 장소까지 당신을 데려다 주었다.

이제는 비행기를 타야 할 시간이다. 왜냐하면 이제부

터 당신이 가야 할 곳은 자동차나 보트가 도달할 수 없는 곳이기 때문이다. 이제부터 타게 될 제트기는 지구 위를 날아서 과거의 법칙이나 관습에 지배를 받지 않는 새로운 차원의 세계로 당신을 여행시켜 줄 것이다.

여기서부터 당신은 빛의 세계로 나아간다.

연습 10: 타인과 하나 되기 연습

지금부터 딩신은 영혼의 눈으로 세상을 바라보려고 한다. 이런 태도는 바로 하나님이 세상을 바라보시는 시각이기도 하다. 주변을 둘러보고 그들이 마치 당신과 하나인 것 같은 생각을 갖고 주변 사람들을 자세히 살펴보라. 그러면 아마도 이 세상의 모든 사람들이나 모든 사물들이 당신과 하나라는 진리를 어렴풋하게나마 느낄 수 있으리라. 이런 마음가짐은 당신에게 이 원리를 실제적으로 생활에 적용할 수 있는 기회를 제공해 줄 것이다.

언제든지 사람들이 움직이는 곳에 있다면, "나는 스스로"라고 하면서 숨을 내쉬라. 당신과 마주하고 있는 그 사람의 형상을 마음속에 깊이 각인시키면서 이 말의 의미를 새겨 넣으라. 단순히 입속으로만 중얼거리는 것은 효과가 없고, 상대방이 마치 내 마음속 깊은 곳에 자리 잡고 있는 것과 같은 생각을 하면서 당신의 빈 공간을 가득 채우라는 말이다.

이제 숨을 들이쉬면서 "있는 자니라."라고 읊조리라. 이때에 하나님과 나와 그 사람이 모두 하나라는 생각을 해야 한다. 이 순간 당신의 진정한 목표는 하나님의 실재와 그 사람의 존재를 가슴 속에서 느끼는 것이다. 이렇게 함으로써 그 주문은 단지 허망한 단어들의 나열이 아닌, 바로 그 사람과 사랑의 감정을 공유하는 경험이 될 것이다. 또 실제로 당신은 이런 과정을 반복함으로써 그 사람을 형식적이 아닌 진정 마음속으로부터 좋아하게 될 것이다.

제11장 Ego vs Soul

지금까지 우리는 모세의 코드를 따라서 그림자, 몸통, 그리고 빛으로의 여행을 다녀왔다. 이제는 다시 모세의 이야기로 돌아가서 더 깊은 통찰력을 얻어 보자.

"나는 스스로 있는 자니라."라는 그 신령한 이름이 모세에게 주어졌던 시대에는 실제로 세 명의 주인공이 드라마에 등장한다. 불타는 떨기나무를 목격하였을 때 모세는 양떼들을 돌보고 있었다. 바로 그때 모세는 이스라엘 백성들을 압제로부터 구해내라는 하나님의 음성을 들었다.

"나는 스스로 있는 자니라."로 표현되는 하나님의 이름은 막강한 힘을 소유하고 있었으며, 그 힘을 가지고 모세는 여러 가지 기적을 만들어 낼 수 있었다. 이러한 하나님의 전지전능하심을 통하여 모세는 진정한 힘이란 하나님과 우리

M

들이 하나 됨을 선언할 때 나온다는 사실을 깨달은 것이다.

이제는 모세의 이야기를 우리들의 원래 논리에 적용해 보자.

1. 그림자(Ego)는 모세이다.
2. 몸통(Soul)은 불타는 떨기나무이다.
3. 빛(Soul)은 하나님이다.

에고(자아)의 일차적인 특징은 우리들을 만족시켜 줄 수 있는 것들은 모두 외부에 있다고 믿고, 그런 것들을 찾아 헤매는 것이다. 모세 역시도 히브리 사람들이 자유로워지기 전에는 결코 행복해 질 수 없다고 믿었으며, 그 자유란 당연히 이집트의 구속으로부터 벗어나는 일이라고 생각했다. 그러나 진정한 자유를 의식하지 못한 외부의 자유를 가지고는 내면 깊숙한 곳에 자리 잡고 있는 열망을 충족시켜주지 못한다.

그것이 바로 이스라엘 백성들이 노예상태를 벗어나지 못하고 계속하여 금송아지를 만들어서 우상숭배를 했던 이유였다. 이집트 압제자들의 영향력이 아직도 그들의 마음을 지배하였기 때문에 그들은 유일신 사상을 헌신짝처럼 내던지고 여러 신들에게 빠져들었던 것이다.

다신사상의 근본은 이런 것이다. 즉, 신들은 이 세상에 무수히 많으며 그들은 각각 별개로 활동하고 영향력을 행사할 뿐만 아니라, 그들은 인간이란 존재와도 전혀 별개이다. 그런 개념은 에고의 성향과 아주 딱 맞아 떨어지는데, 그 이유는 에고 자체가 단일성이라는 개념을 전혀 이해하지 못하기 때문이다. 그러나 모세는 이집트 백성들과 파라오에게 다른 사명을 띠고 갔다. 그는 파라오에게 가서 "신은 하나다."라고 선언했다. 이 말은 파라오에게 엄청난 도전으로 여겨졌을 것임에 틀림없다. 왜냐하면 그 말을 인정한다는 것은 곧 모든 백성들의 다신교 사상을 부정하는 행위였기 때문이다.

에고의 목표

에고(자아)에게는 오지 하나의 목표만이 있을 뿐이다. 즉 자신의 생존이다. 에고는 그 자체가 환상이기 때문에 자신이 창조하는 가공된 이미지를 유지하기 위하여 가능한 모든 방법을 다 동원한다. 바로 그런 이유 때문에 에고는 두 개의 상반된 신념이 대치되는 상황에 직면한다면, 자신의 신념을 그렇게도 쉽게 포기할 수 있는 것이다.

에고는 진실을 뒷받침할 수 있는 많은 증거가 있음에도 불구하고 - 이 경우에는 모세가 하나님의 힘을 이용하여 이스라엘 백성들을 구할 수 있다는 사실 - 자신의 목적에 합치되지 않는다고 느끼는 순간 쉽게 포기하고 만다.

죽음이야 말로 가장 두려운 개념이기에, 180도 태도를 돌변하게 되는 것이다. 에고는 당신에게 끊임없이 속삭인다. 당신이 죽으면 에고 자신도 죽는다고. 바로 이것이 에고가 자신의 모든 결정을 합리화시키는 논거인 셈이다. 이 논리에 따르면, 어떤 때는 이 길을 가는 것이 맞는 것 같기도 하고, 또 다른 때는 저 길을 선택하는 게 옳은 것 같기도 하다.

이스라엘 백성들과 모세가 하나님의 '하나 됨'의 법칙을 부정하고 에고의 '분리'의 논리를 따른다는 점에서는 우리들과 별반 다르지 않다. 하나님은 이스라엘 백성들을 젖과 꿀이 흐르는 땅으로 인도해 주겠다고 약속하셨다. 그러나 사막의 모래폭풍이 불어 닥치는 순간, 그들은 자신들의 생존능력을 의심하였고, 일시적인 평안을 얻기 위하여 다시 이집트의 압제 속으로 돌아가려고 했던 것이다.

간단히 말하면, 우리들의 자아인 에고의 힘이란 사실 알고 보면 대단치 않다. 그럼에도 불구하고 오늘을 사는 많은 사람들이 모세가 맨 처음 여행에서 그랬던 것처럼, 이런 제한된 믿음 속에서 살아가고 있다. 약한 것은 강한 것의 지원을 받아서 강해져야 한다. 그러므로 우리들의 에고도 밖으로부터의 강한 힘을 선택하여 한층 더 강해지지 않으면 안 된다.

반면에 영혼은, 밖으로부터는 아무런 도움을 받을 곳이 없다는 사실을 잘 알고 있다. 진정한 강함은 내부에 있으며 자신에게 있는 지혜의 힘을 빌린다면, 우리들을 새로운 방향으로 강하게 할 수 있다고 믿는다. 우리들이 영혼 속에서 살게 되면, 하나님이 우리들을 창조하신 목적이 창조하고 확장하는 것이라는 사실을 금방 깨닫게 된다. 그러면 곧바로 에고의 무기력함은 극복되며 우리들이 지금껏 맛보지 못한 만족한 수준까지 도달하게 된다.

내가 진에도 언급했늣이, 영혼은 자신이 받고자 하는 것을 줌으로 해서 이러한 경지에 도달한다. 만약 평화가 목적이라면, 영혼은 다른 사람들에게 평화를 준다. 만약 사랑이 원하는 바라면, 영혼은 다양한 방법으로 사랑을 표현한다. 우리들의 영혼은 그것이 타인들의 영혼과 별개의 것이 아니라는 사실을 잘 알고 있기에, 이런 선물들을 기꺼이 주고 또 받을 수가 있는 것이다. 영혼은 모든 영혼과 하나라는 사실을 항상 깨닫고 있기 때문에, 빛의 세계, 즉 하나님의 세계로 나아갈 수가 있다는 말이다. 이렇게 될 때 우리들은 완전한 하나님의 풍요를 선물로 받게 되는 것이다.

바로 이러한 관점에서 우리들은 모세가 처음 하나님과 대면했던 장면을 골격으로 하여 우리들이 필요한 모든 것들을 끌어당기는 기법을 개발하였다. 다시 한 번 말하면, 모세는 우리들 몸의 일부인 자아로 표현되며 우리들이 바라는 모든 것들을 끌어당기는 욕망을 표현한다. 불타는 가시덤불은 영혼, 즉 소울이라 하겠는데, 이것은 에고라는 세상적인 욕구를 태워버리는 좀 더 고차원적인 목표를 상징한다고 하겠다. 그리고 하나님, 이것이야말로 모든 사물들과 하나 됨을 다시 기억나게 하는 우리들의 절대적이고도 궁극적인 목표이다. 결국 모세의 코드란 이 세 가지 목표들의 결합이라고 할 것인데, 이 세 가지가 상호 결합하고 협력하여 우리들의 삶과 세계에 평화를 가져다준다.

당신 앞에 놓여 있는 질문은 아주 간단하다. 이 자기실현의 드라마에서 당신의 역할은 무엇인가? 모세인가? 그래서 지금까지 배운 기술들을 이용하여 당신이 가지고 있지 않은 것들을 가져와 삶을 풍요롭게 하기를 원하는가? 불타는 가시덤불인가? 에고의 욕망을 억누르며, 그렇게 함으로써 보다 고차원적인 비전을 추구하는가? 아니면?…

어떤 역할을 할지의 선택은 당신에게 달려있다. 이제까지 오면서 배운 사실 하나는, 결국 에고의 길이란 쓸모없는 길이라는 것이다. 비록 당신이 에고의 충동에 못 이겨서 지금까지 그렇게도 갈망했던 모든 것들, 예를 들면 집, 차, 풍요로움, 명예, 명성, 사회적 지위를 모두 가졌다 하더라도, 그리고 그런 당신을 보고 주위 사람들이 성공한 사람이라고 박수를 쳐 줄지라도, 당신은 앞으로도 끊임없는 욕구의 노예가 되어 살아가야만 한다는 말이다.

당신은 영혼의 정신에 따라서 당신이 원하는 모든 것들을 주는 연습을 충실히 하고 이제는 그게 습관화되어 있다고 말할 수도 있을 것이다. 그럼에도 불구하고 아직도 당신이 충분히 이해하지 못하는, 더 배워야 할 마지막 하나의 단계가 남아 있다.

M

제12장 마지막 단계

과연 이제는 그 실재(實在 - Reality)의 세계로 들어가야 할 때인가? 당신은 모세의 코드의 진정한 목표에 도전할 준비가 되어 있는가? 만약 그렇다면, 당신은 마침내 하나님의 깨달음과 당신의 깨달음이 하나로 통합되었다는 사실을 알 수 있을 것이고, 하나님과 하나됨을 느끼게 될 것이다. 이러한 사실이 약간 이상하게 느껴질지라도 당황하지 말아야 할 이유는, 그것이 매우 자연스러운 현상이라는 사실 때문이다. 오직 당신이 해야 할 일은 앞으로 계속 전진하는 것이다. 천사들이 당신을 돕기 위해 최선을 다 할 것이다.

당신이 이 드라마와도 같은 연기를 수십 년간 해 온 덕택에, 당신의 실재와 당신을 갈라놓았던 그 막은 이제는 너무나 얇고 희미해져서 더 이상 존재하지 않게 되었다. 연기가 끝나고 복장과 가면을 벗어버리는 대신, 당신은 이제 집으로 돌아와서 그 역할을 계속하는 것 마냥 가장한다. 당신의 주의나 반응이 필요한 상황이 발생하면, 당신은 실제로는 존재하지 않는 가상의 인물이 하는 대로 따라서 할 것인지를 결정해야 한다. 그렇게 함으로써, 당신 안에 있는 진실이 모호하게 되며, 당신은 바로 그 때가 되어야만 진정한 욕망의 트랙을 벗어나게 되는 것이다.

에고를 품고 있는 당신은 더 이상 깨어나지 않고 영원히 잠들어 있는 사람처럼 보인다. 이제는 미친 듯이 우리들을 삶의 한가운데로 몰아갔던 그 변덕스런 에고의 광풍으로부터 벗어나서, 결코 변하지 않는 하나님의 비전으로 향할 때이다. 이 말을 다시 한 번 더 읽어보자.

"하나님의 성품은 변하지 않는다."

당신이 인생에서 어떤 가상의 역할을 했더라도, 하나님은 당신이 실제로 어떤 사람인가를 결코 잊지 않고 계신다. 이 말은 하나님께서 우리들에게 주시는 엄청난 복음이다. 왜냐하면, 당신이 인생에서 자신을 숨기기 위해 어떤 역할을 했을지라도, 당신은 언제나 하나님의 보호하심 아래서 살아왔다는 사실을 잊지 말아야 한다. 그러한 역할은 실제로는 당신의 상상력 안에서만 존재해 왔던 것이다. 당신이 실제의 그 본향에서 결코 떠난 적이 없다는 사실을 증명하기 위해서 다른 무엇이 더 필요할까? 당신은 처음 출발할 때부터 보호되고 그래서 항상 안전하게 살아왔던 것이다. 그 결과 당신의 인생행로를 변화시킬 아무런 죄악도 없었으며, 잘못도 없었던 것이다. 당신은 애당초부터 하나님의 궤도 안에서만 살아왔다는 말이다.

만약 당신이 하나님과 하나이고 하나님은 결코 당신을 잊은 적이 없었다면, 이제 당신이 깨어나고 그 사실을 받아들이는 건 아주 쉬운 일이다. 당신이 이 사실을 받아들일 때 어떤 변화가 일어날까?

"아무런 변화도 일어나지 않는다."

한 번 더 말하지만, 오직 당신의 에고만이 당신이 변해야 한다고, 그래야만 당신을 둘러싼 모든 것들이 변한다고 당신을 충동질하고 있다. 그 충동질은 무엇인가? 당신이 전혀 다른 사람이 되기를 원하는 것인가? 피부색이 다르고 언어도 다르고 종교도 다른 사람이 되는 것인가? 만약 당신이 그렇게 된다면 당신의 에고는 매우 기뻐할 것임에 틀림없다. 그래야만 현재의 당신을 부정할 수 있기 때문이다. 그러나 이것들은 실재에 기반을 두지 않은 부정이며 두려움일 뿐이다. 진정함이란 위협할 수도, 위협받을 수도 없는 것이다. 이 사실을 받아들인다면, 이제 깨달음을 향한 여행은 거의 끝난 셈이다.

이것을 어떻게 모세의 코드에 적용할 수 있을까?

당신이 하나님과 하나라는 사실을 느끼고, 하나님과 하나임을 선언하는 순간이야말로 모세의 코드의 완성 단계이다. 이 사실을 깨닫고 나면 당신은 필요한 모든 것들을 가져야만 한다는 에고의 집요함에서 쉽게 벗어날 수 있게 된다. 주는 것과 받는 것이 하나라는 사실을 더욱 쉽게 받아들일 수 있게 된다는 말이다. 그러나 당신이 하나님과 하나라는 개념은? 아직도 당신은 이 개념을 쉽게 끌어안을 수 없을 것이다.

여기에 대한 해답은 무엇인가? 이 진리를 깨닫게 하는데 당신에게 위협을 가하는 두려움은 무엇인가? 그것은,

"나와 하나님은 하나가 아니다."

잠깐만 기다려라. 이것은 우리들이 지금까지 한 번도 상상해보지 못한 전혀 새로운 개념일지도 모른다. 당신은 아마도 괴이하게 생각할지도 모르겠다. 아무 일도 하지 말

라고? 하나님과 하나라는 생각을 갖는데 결정적인 방해가 되는 분리에 대한 환상에서부터 벗어나려는 노력조차도 하지 말라고?

어떤가? 아무 일도 하지 않으면 편안함을 느끼는가? 바로 그게 전부다. 당신이 어떤 것을 두려워한다면, 그건 바로 당신으로서는 극복하기 힘들고 돌파 불가능한 방어벽을 스스로가 쌓는 결과가 된다는 말이다. 그러나 당신이 그와 반대로 생각하고 행동한다면, 그 벽이란 너무나도 하찮은 게 돼 버리고, 결과적으로 어린 아이조차도 뛰어 넘을 수 있게 된다. 여기에서의 목적은 당신으로 하여금 자신에게 압박을 가하지 못하게 하려는 것이다.

잠시 쉬었다 가자.

이 책 내내 당신은 모세의 코드를 이용하여 당신이 살아가는데 필요한 것들을 끌어 모으기 위해 하나님의 능력을 이용하였다. 그런 다음에 당신은 다른 사람들에게 그들이 필요한 바를 주는 연습을 해왔다. 그리고 이제 와서 당신은 전혀 다른 이야기를 듣게 되었다. 당신은 한걸음 뒤로 물러서서 아무것도 하지 않기를 요구받고 있는 것이다. 아무것도 하지 않음으로 해서 모든 것이 다 이루어진다는 역설을 마주하고 있는 것이다.

“정확히 말하면 사실은 그렇지 않다.”

당신이 요구받은 것은 딱 잘라 말하면, 당신이 쉬고 있는 사이에 하나님께서 일하시도록 하라는 말이다. 당신은 이제껏 해 볼만큼 해 보았다. 당신은 에고가 충동질하는 모든 것을 다 해 보았으며, 그 결과 이제는 전혀 다른 방향에서 문제에 접근할 줄도 알게 되었다. 지금껏 당신은 많은 걸 배워왔고 놀라운 성취를 이룩하였다.

그러나 이제 마지막 단계는 문자 그대로 이 세상을 뛰어넘어서 영원의 세계로 들어가는 단계이다. 지금까지 당신이 내린 결론들은 당신의 시간, 공간, 그 밖에 모든 경험에 근거한 당신의 믿음 위에 바탕을 둔 것이었다. 이제는 그런 한계를 모르는 분, 진정한 새로운 세계에 당신의 마음을 옮겨 놓는 분에게 모든 걸 맡길 때이다. 다른 말로 하면, 당신은 이 마지막 단계를 자신의 힘으로 이룩할 수는 없다는 뜻이다.

이 단계는 오직 하나님 한 분만이 이룩하실 수 있으며, 당신은 그저 하나님이 이룩하신 걸 보고 자신이 하나님과 하나 되었음을 느낄 뿐이다.

이 여행은 그리 멀지도 않은 것이다. 우리들의 목표는, 진실은 결코 변한 적이 없으며, 우리들에게 그 진실 속에 살 수 있는 권리가 있다는 사실을 깨닫는 데에 있다. 해야 할 일도 없고 변경할 필요도 없다. 왜냐하면, 우리들이 지금껏 초점을 맞추어 온 방식으로는 아무것도 변경시킬 수 없기 때문이다.

여러분은 이 개념으로 인하여 분명 혼란스러워 할 것이다. 즉, 우리들은 지금까지 저지른 죄 때문에 영혼이 파괴되었다고 배워왔기 때문이다. 그러나 이 책에서 하나님의 사랑은 무조건적이기 때문에, 이 세상에서 우리들의 영혼을 파괴할 것은 아무것도 없다는 사상을 배웠다.

이제 당신은 모세의 코드의 마지막 단계, 즉, 하나님과 당신이 하나라는 사실을 껴안아야 할 단계에 와 있다. 과거는 모두 흘러간 것이기에 전혀 의미가 없다.

"이제 당신은 이 사실을 끌어안을 것인가?"

만약 당신이 예스라고 말한다면, 하나님은 당신이 끌어안지 못하는 당신 자신조차도 품어주실 것이고, 그러면 당신은 비로소 자신의 존재가 무엇인지를 깨닫게 될 것이다. 지금껏 에고의 충동대로 살아온 과거는 그냥 잊어버리도록 내버려두라. 당신에게 남은 것은 지금부터 영원까지 이어질 하늘의 열린 축복뿐이다. 이것이 하나님께서 하시는 일이며, 당신 또한 다른 사람들에게 똑같은 일을 할 수 있다.

모세의 코드는 이제 당신 안에서 완성되었다. 당신은 이제 마지막 단계에서 하나님께 모든 것을 의뢰하였다. 이 세상과 세상 속의 모든 일들은 이제 희미해져 버렸으며 신성한 힘 속으로 용해되어 버렸다.

깊은 숨을 들이쉬라. 그리고 지금껏 말한 것들이 모두 사실임을 다시 한 번 받아들이라.

제2부를 위한 마지막 정리

집에 돌아온 것을 환영한다. 당신은 밖에 있는 것들, 그것들이 있으면 그저 행복해지고 채워질 것이라는 기대에 부풀어서 그것들을 얻고자 여행을 떠났었다. 여행을 해 본 결과, 행복이란 밖에 있는 게 아니라는 사실을 깨달았고, 이제는 주는 것이 곧 행복이라는 진리를 터득하게 되었다.

마지막으로, 이제는 밖에 있는 세계에서 벗어나서 하나님께서 창조하신 내면의 세계 안에서 행복을 찾으려는 단계까지 오게 되었다.

이제 여행은 끝났다. 당신은 진정으로 행복한 사람이

라고 선언함으로써 자신이 그것을 경험할 수 있는 경지에까지 도달하였다. 그 행복은 곧 당신 내면에 있는 행복이다. 밝고 환한 빛의 세계로 들어가는 일도 당신이 해야 할 일이다. 모세의 코드는 하늘로부터의 선물이다.

당신은 하나님과의 대화를 통하여 당신이 필요한 모든 것들을 얻고 당신의 꿈을 이룩할 수 있게 되었다. 하나님께서 창조하신 당신 자신 안에 모든 열쇠가 있으며, 당신이 필요한 모든 것들을 채울 힘도 결국은 당신 내면에 있는 것이다. 이 진리는 결코 당신을 배신하지 않을 것이기 때문에 당신은 이것을 아주 소중하게 생각하고 끌어안아야만 한다.

모세는 그 약속된 땅에 들어가지 못했을지도 모르지만, 당신만큼은 다르다. 당신은 분명 그곳에 갈 수 있다. 당신은 이미 천국을 발견하였다. 건너야 할 사막도 없고, 싸워야 할 파라오도 없다. 당신을 방해하는 것은 오로지 당신 자신의 마음가짐뿐이다.

하나님과 하나되었음을 선포하라. 그리고 하나님의 능력 안에서 모든 것을 회복하라. 그러면 하늘나라가 당신 안에 바로 지금 이 순간 온전히 존재함을 깨닫게 될 것이다. 눈을 크게 뜨고 사물을 보라. 진정한 영의 눈으로 모든 것들을 볼 수 있을 것이다.

MOSES CODE3

PART THREE

끌어당김의 법칙 실천 매뉴얼

제13장 끌어당김의 법칙 단기완성 코스

이 책의 부제목은 "이 세상에서 가장 강력한 끌어당김의 법칙"이다. 얼핏 보면 이 제목은 아주 거창하게 보일 것이고 아마도 그런 엄청난 제목으로 인하여 당신이 이 책을 선택했는지도 모를 일이다. 나는 여러분들에게 다시 한 번 확인시켜주고 싶다. 진정 이 책이야말로 지금껏 내가 접해 본 그런 '성공의 법칙'을 제시하는 책들 중에서 가장 훌륭한 책이라고. 왜? 그 이유는 내가 실제로 하나님의 이름이 갖고 있는 그 무한한 파워를 생활에 접목시켜보고 그 효과를 직접 경험하였기 때문이다. 그렇다고 해서 다른 방법들이 효과가 없다고는 말하지 않겠다. 그럼에도 불구하고 모세의 코드가 가장 효과적이기 위해서는, 그것이 담고 있는 몇 가지 기본적인 사항을 반드시 숙지해야 할 필요가 있다.

2006년부터 지금까지, 수백만 명의 사람들이 『시크릿』이라는 책에 매료되어 열광하고 있는데, 사실 그 책은 끌어당김의 법칙의 아주 초보적인 단계만을 설명해 놓은 책이다. 나 역시도 그 책을 보고 매우 흥분했으며 거기에다가 내가 실제로 체험했던 기법들을 추가하였다. 그렇지만 나는 『시크릿』의 내용에 있어서 두 가지 걱정스러운 면이 있음을 고백하지 않을 수 없다.

첫째로, 그 책은 대부분을 삶에서 필요한 것들을 끌어모아 우리들에게 행복과 풍요를 안겨주는 것에만 초점을 맞추고 있다는 사실이다. 만약 지금 쓰고 있는 차가 마음에 들지 않는다면, 당신은 새 것을 사면된다. 만약 살고 있는 집이 마음에 들지 않는다면, 당신은 또다시 그 끌어당김의 법칙을 이용하여 그 꿈을 이루면 된다. 모든 게 훌륭하고 완벽해 보인다. 그러나 거기에는 아주 결정적인 그 무엇인가가 빠져있다는 사실을 주목하여야만 한다.

내가 그 책에서 발견한 하나의 결정적인 오류란, 바로 우리들의 성공과 실패를 결정하는 핵심적인 요소를 제켜놓고 오로지 그 책은 자기실현 또는 끌어당김의 방법만을 지나치게 단순화해서 강조하고 있다는 점이다. 나는 그 책을 읽은 사람들로부터 많은 이야기를 들었다. 그들 모두는 자신들의 삶도 갑자기 변화할지 모른다는 기대를 갖고 그 책의 내용대로 따라서 연습한 사람들이다. 어떤 사람들에게는 그 효과가 나타났다. 그러나 다른 사람들에게는 전혀 효과가 없었다. 불행히도 그 실패한 사람들은 그 내용을 효과 없는 것으로 치부해버리고 전혀 쓸모없다고 더 이상 거들떠보지도 않게 되었다. 그들의 결론은 이 세상에 성공을 향한 '시크릿' 따위는 없다는 것이다.

어느 날 나는 여러 권의 베스트셀러 저자이자 나의 절친한 친구인 데비포드와 이 문제를 상의하였다. 그녀의 책들 중에는 전 세계의 많은 영적 지도자들에게 큰 영향을 끼친 작품들이 많이 있다. 우리들은 몇몇의 친구들에게 우리들의 의견을 타진해 보았다. 그 내용은 지금까지 끌어당김의 법칙의 제일 큰 목적인 '받는 것'에서 벗어나서 '주는 것'으로 방향을 전환하는 온라인세미나를 개최하면 어떻겠느냐는 것이었다. 친구들은 기꺼이 우리들의 제안에 찬성 의견을 보내왔다.

나는 이러한 이타적인 봉사와 서비스야 말로 우리들 자신을 아주 풍성하게 해준다는 확실한 믿음을 갖고 있는 사람이다. 오로지 자신의 에고의 욕구를 만족시키려는 삶은 결국 우리들을 완전한 허구의 세상으로 인도할 뿐이다. 그렇지만 불행하게도 바로 이런 현상을 나나 동료들은 『시크릿』을 읽고 그 기법을 연습한 사람들에게서 끊임없이 목격하였던 것이다.

우리들은 그 온라인세미나의 주제를 '시크릿을 평화로운 목적에 활용하기'로 정했다. 닐 도날드 왈쉬, 마이클 벡위드, 진 휴스턴, 제임스 레아, 그리고 데비와 나는 그 코스에 착수하였다. 전 세계에서 셀 수 없이 많은 사람들이 이 온라인세미나에 동참하였다는 사실만 가지고도 충분히 놀라운 일이라고 할 만하다. 더욱 놀라운 것은, 세미나에 참가한 사람들의 열띤 토론과 의견교환으로 미루어 짐작하건대, 다음 단계를 기다리는 사람들은 그보다도 훨씬 더 많으리라는 사실이었다.

온라인세미나가 개최된 지 일주일 후에, 데비가 나를 찾아와서는 매우 흥미로운 아이디어를 내놓았다. 영화 한 편을 만들어서 『시크릿』에 만족하지 못한 사람들에게 도움을 주자는 제안이었다. 나는 그때까지 이미 세 편의 영화를 제작한 바 있었는데, 그 중 『인디고』는 영적으로 열려있는 아이들에 대한 이야기였다.

결국 우리들은 『모세의 코드』라는 책의 내용에 영화가 뒷받침되어 준다면 금상첨화일 것이라고 확신하고, 그 사업을 추진하였다. 책과 영화를 통하여 나의 경험을 독자들이나 관객들에게 나누어주는 것이 주된 목표였고, 그렇게 해서 모세의 코드를 명실상부한 끌어당김의 법칙의 완결 편으로 만든다는 계획이었다. 책과 영화의 결합이야말로 모세의 코드를 가장 영향력 있는 도구로 만들어 줄 것이었다.

이 책의 부록에는 그러한 법칙을 익히는 방법이 적혀 있다. 필요하다고 느끼는 부분은 최대한 활용하고 별 쓸모가 없다고 생각되는 부분은 그냥 무시해 넘기라. 그러면 결국에 가서 당신은 신성한 하나님의 섭리와 하나가 되는 것이야말로 모든 성공의 근원임을 깨닫게 될 것이다.

끌어당김의 법칙을 실제로 연습해보고도 실패한 대다수의 사람들은 공통적으로 자기실현의 능력을 가로막는 그 핵심을 모르고 있다. 그 이유는 그들이 그 원리를 잘못 적용하였기 때문이다. 그들의 생각과는 달리 그 원리는 완벽하게 작동하였고, 지금도 여전히 그렇게 작동하고 있다.

인간이란 존재는 매우 복잡하다. 따라서 일차원적인 해결방법을 가지고는 복잡하게 얽혀있는 문제들을 풀지 못한다. 대개의 자기실현 기법들은, 적절한 기본이 뒷받침되기만 한다면 매우 훌륭한 도구이며 오늘날에도 변함없이 놀라운 결과들을 도출해낸다. 긍정적인 말들의 리스트를 만들어서 그것들을 반복하여 읊조리는 건 분명 놀라운 결과를 만들어낸다. 그러나 "나는 풍요로운 사람이다."라고 말하면서 마음속 깊은 곳에서는 그 반대의 생각을 품고 있다면, 그 결과는 별로 신통치 않게 된다.

자기실현 또는 끌어당김의 법칙을 효과적으로 배울 수 있는 프로그램은 많기 때문에 나는 여기서 그런 곳들의 리스크를 나열하고 싶지는 않다. 그렇지만 내가 강력하게 추천하고 싶은 프로그램이 딱 하나 있는데, 그것은 바로 데비 포드가 지도하는 그림자 과정(The Shadow Process)이다. 나는 데비의 프로그램에 참가한 경험이 있는데 정말 솔직히 말하면, 그 프로그램은 나의 인생 전체를 바꾸어 놓았다. 그녀는 그 프로그램을 통하여 내게 인생에서 성공을 방해하고 나의 능력발휘를 가로막는 그림자들을 제거하는 방법을 제시해 주었다. 만약 당신이 내 말에 흥미를 느낀다면, 그녀의 책을 구입하여 읽거나, 아니면 그녀의 웹사이트(www.debbiford.com)에 접속해 보기 바란다.

자, 이제 당신은 당신의 에고가 아닌 영혼이 원하는 것들을 실현하는 단계에 와 있다.

제14장 원하는 것들을 얻게 하는 10가지 열쇠

1. 목표가 분명한 사람이 되라
2. 비밀이 없는 사람이 되라
3. 기꺼이 하려고 하는 사람이 되라
4. 즐거운 사람이 되라
5. 초점을 유동적으로 맞추고 살라
6. 좋은 결과를 기대하면서 살라
7. 활기찬 사람이 되라
8. 적극적인 사람이 되라
9. 진실된 사람이 되라
10. 항상 감사하는 사람이 되라

위에 나열한 것들이 삶에서 당신이 필요로 하는 모든

것들을 끌어당기는데 필요한 10가지 핵심요소들이다. 대부분의 항목들이 "되라."는 말로 끝난다는 사실에 주목하기 바란다. 그 이유는 열 개의 항목들은 주로 우리들이 무엇을 하기보다는 어떻게 되는가에 더 많은 비중을 두고 있기 때문이다.

"세상에서 무엇인가를 보려고 한다면 당신은 스스로가 변화의 주체(You must be the change)가 되어야 합니다."
- 마하트마 간디

우리들은 얼마나 여러 번 우리들이 믿거나 원하는 것들에 대하여 이야기를 나누었는가? 그러나 또 한편으로는 우리들 마음 속 깊은 곳에서, 얼마나 자주 그런 것들을 끌어당길 수 있는 자신의 능력을 부정하였던가? 말이란 사실 우리들의 삶에서 그것들을 실제로 반영하지 못한다면 공허한 장난에 지나지 않는다.

1. 목표가 분명한 사람이 되라

당신은 아마도 이런 말을 들어 보았을 것이다. 즉, "무언가를 구할 때는 조심하라. 왜냐하면 당신은 그것을 반드시 받게 될 것이기 때문이다."

당신은 어떤 것을 진짜 간절히 원하고 그 목표에 모든 에너지를 다 쏟아부어 본 적이 있는가? 아니면 어떤 목표를 세웠는데 그것에 정신이 집중되지 않아서 중도에 포기하고 말았던 경험이 있는가?

분명함, 또는 명확함이야말로 자신이 원하는 것을 실현하는데 가장 필수적인 열쇠이다. 왜냐하면, 당신의 생각이 분명치 않다면 하나님으로 표현되는 우주도 당신에게 무엇을 주어야 할지 또는 어떻게 도와주어야 할지를 모를 것이기 때문이다. 당신이 마음속으로 작정한 목표가 있다면 그것을 종이 위에 자세히 적어보라. 여기에는 원하는 바의 구체적인 내용과 특징, 필요한 시기 등이 포함되어야 한다. 이 리스트를 자주 들여다보면서 그것에 더 구체적인 내용들을 생각나는 대로 추가하라. 그 자세한 항목들에 당신의 주의를 집중하면서 마음속에 각인시켜두어야 한다. 하나님은 분명한 생각들을 좋아하신다. 반면에 우리들의 에고는 닥치는 대로, 그때그때 상황에서 떠오르는 생각들을 좋아한다.

분명함은 다른 말로 하면 단순함이기도 하다. 구체적인 내용들을 단순화하면 할수록, 그 목표에 도달하는 시간은 더 빠르다. 당신의 목표를 지나치게 복잡하게 만들지 말고, 그 목표가 가장 명확하고 직선적이 되도록 하라. 만약 그것이 당신에게 분명하게 보인다면, 하나님의 눈에도 그렇게 보일 것이며, 당신의 목표로 향하는 길은 그만큼 더 곧고 빨라질 것이 분명하다.

2. 열린 마음을 가진 사람이 되라

당신의 마음은 낙하산과도 같아서 그것이 열려 있을 때 가장 큰 능력을 발휘한다. 이 말을 논리적으로 설득시키기는 참 어렵다. 닫혀 있는 마음이란 마치 모든 것을 이미 다 알고 있다는 태도이므로, 어떤 새로운 가능성이 출현하였을 때 그것을 외면하고 그 지름길을 택하려 들지 않는 경향이 있다. 당신의 꿈을 이루기 위해서 마음을 열어 놓는 태도는 주변의 모든 에너지를 끌어오는데 필수불가결한 요소임이 분명하다.

우리들이 목표를 분명하게 하고 열린 마음을 갖는다는 것은, 이런 태도가 습관이 되지 않는다면 처음에는 거북할지도 모르겠다. 첫 번째 항목에서, 당신은 원하는 것을 얻으려면 목표가 분명한 사람이 돼야 한다고 했다. 이제는 당신에게 비밀이 없는 사람이 되라고 한다. 그래야만 이 우주가,

또는 하나님이 당신이 원하는 것을 더 크고, 정확하고, 빠르게 당신에게 전달하기 때문이다. 실제로 분명함과 열린 마음은 상호 보완적이며 서로가 서로를 따라다닌다. 일단 당신이 원하는 목표를 분명히 하고 거기에 모든 초점을 맞추었다면, 당신의 마음을 열어놓아 두어서 앞으로 있을지도 모르는 변화에 대비하는 자세가 필요하다. 이러한 태도는 마치 하나님께, "이것을 주시던가 아니면 더 큰 것을 주세요."라고 선언하는 셈이나 마찬가지이다.

열린 마음을 갖는다는 건 어찌 보면 항복한다는 말과도 같다. 이것은 우리들의 에고에게는 매우 거부감이 있는 개념이지만, 반면에 영혼의 입장에서는 아주 편안하게 느끼는 개념이다. 에고에게 항복이라는 말은 실패를 뜻한다. 그러나 영혼은 그것을 승리로 향하는 첫 단계라고 받아들인다. 이러한 자세는 하나님께 전적인 신뢰를 보낸다는 제스처이며, 어떤 상황이 닥치더라도 그것을 포용할 자세가 되어 있다는 암시이기도 하다. 이것이 바로 분명함과 열린 마음이 같이 다닌다는 원리이다.

3. 기꺼이 하나님께 맡기려고 하는 사람이 되라

당신의 의식세계로부터 흘러나오는 모든 것들을 관찰하여 기꺼이 받아들이고 또한 내보내려고 하는 마음가짐은 당신의 삶을 아주 쉽고 편안하게 이끌어 갈 것이다. 당신이 바라는 바가 무엇인지를 관찰하는 데서부터 출발하여 보자.

● 당신이 바라는 바는 자신의 이기심을 넘어서 이 인간 세상에도 무언가 도움이 되는 일인가? 만약 그것이 당신 자신의 컵을 채우는 일일뿐이라면, 그것은 "꿈꾸는 것들은 이미 자신 안에 있다."는 그 숭고한 가르침을 얻는데 전혀 도움을 줄 수 없다.

● 그것은 과연 당신의 뜨거운 가슴으로 받아들일 수 있는 일인가? 당신의 에고는 당신이 바라는 그 높은 차원을 결코 수용할 수 없으므로, 이제 막 받으려고 하는 그 선물을 뜨거운 가슴으로 느껴보는 게 중요하다. 다른 말로 하면, 당신 자신을 단기적인 것에 가볍게 팔지 말라는 뜻이다. 새 차는 분명 지금껏 당신이 꿈꾸어왔던 것이고 멋진 선물임에 틀림없다. 그러나 과연 그것이 당신의 가슴에 불을 지필만큼 소중한가? 그것이 다른 사람들의 가슴에도 영감을 불러일으킬 수 있는가? 당신은 그것보다 더 크고 값진 것조차도 마음에 품을 수 있다.

4. 즐거운 사람이 되라

이것은 아무리 강조해도 지나치지 않은 핵심요소이다. 당신이 이미 읽어서 알고 있듯이, 당신을 향한 하나님의 의지는 완전한 기쁨에 있다. 이 말은 기쁨 또는 행복에는 우리들의 에고나 이 세상이 알지 못하는 가치가 있다는 뜻이 된다. 이것이 바로 당신의 영혼이 간절히 구하는 기쁨이며, 그건 또한 천국과 이 지상을 연결해주는 다리이기도 한다. 당신이 이 사실을 받아들임으로써 다른 사람들도 당신만큼이나 값지고 귀한 존재들이라는 사실을 깨닫게 되는 것이다.

행복이라는 말이 당신에게 사소한 것처럼 보이는가? 진실은 이렇다. 우리들은 쓸데없이 자신의 에고가 추구하는 바를 따라다니다가 우리들 내면에 있는 작은 행복을 발견하지 못하고 그것들을 그냥 지나쳐버린다. 배고픈 사람을 먹이는 행동은 당신이 고급 레스토랑에서 멋진 식사를 하는 것보다도 더 큰 기쁨을 선사할 수 있다. 집이 없는 사람을 도우면서 당신이 느끼는 행복은, 당신의 집에 새로운 가구를 들여 놓는 것보다도 더 큰 만족감을 가져다 줄 수도 있다. 당신의 영혼은 이렇게 당신이 남에게 줄 때 더 많은 기쁨을 느끼며 당신 자신의 가치를 넓혀 나가는 것이다.

5. 초점을 유동적으로 맞추고 살라

목표 그 자체보다는 목표 뒤에 있는 것에 초점을 맞추어야 한다. 자신에게 물어보라. "도대체 내가 왜 이 선물을 그렇게도 간절히 갖고 싶어 할까?" 아마도 당신은 새 집을 갖는 것에 모든 주의를 집중하고 끌어당김의 법칙을 적용하고 있을지도 모르겠다. 그렇다면 진지하게 자신에게 질문해보라. 나에게 이런 마음을 품게 한 바로 그 동기는 무엇이었나? 잠시 깊은 생각에 잠겨서 가슴 속에서부터 울려나오는 대답을 듣도록 주의를 집중하라. 아마도 당신은 현재 살고 있는 집에서 안전함을 느끼지 못했을 수도 있을 터이고, 때로는 부자라는 느낌을 갖지 못했을 수도 있을 것이다. 일단 그 동기를 발견했다면, 당신 가슴 깊은 곳에 있는 충동에 포커스를 맞추라. 그러면 아마도 '완전한 집'이 당신의 영상 속에 떠오를 것이다. 그 집은 당신이 꿈꾸어오고 목표해오던 그 웅장하고 화려한 집과는 많이 다를 것이다. 훨씬 작아져 있을 것이고 훨씬 단순해져 있을 것이다. 이러한 결과는 당신이 자신 속에 있는 영혼과 깊이 교통하면서 그 영혼의 욕구에 맞추어서 목표를 수정했기 때문이다.

우리들은 초점, 즉 포커스라는 말을 고정되고 직선적인 것으로만 파악하려는 경향이 있다. 나는 당신에게 포커스라는 말을 유동적인 개념으로 바꾸기를 권한다. 당신의 마음조차도 때때로 무엇이 당신에게 최선인지를 잘 알지 못하므로, 그렇게 해서 나온 결실은 아무짝에도 쓸모가 없게 되고, 당신이 원했던 결과와는 거리가 먼 경우가 많다. 그러므로 이때에 '유동적인 초점'이라는 말은 상당한 의미를 갖게 된다. 당신의 영혼은 당신의 마음이 원하는 것보다 훨씬 더 많은 것을 알고 있다는 사실을 기억해야만 한다. 초점을 유동적으로 가져라. 그러면 목표에 다가가기가 훨씬 더 쉽게 된다.

6. 좋은 결과를 기대하면서 살라

항상 최선을 기대하라! 바라는 것은 언제나 쉽고 자연스레 주어진다고 기대하면서 살아가는 자세가 중요하다. 에너지는 주의력이 가는 쪽으로 따라 흐른다는 사실을 명심하라. 만약 당신이 어떤 것을 얻기 위하여 거기에 초점을 맞추고 있는데, 당신 내부의 생각은 실패에 고정되어 있으면 그 결과는 보나마나이다. 그러므로 깊은 내면의 의식이 이런 사실을 깨닫도록 해야 하며, 의도적으로 당신의 의식을 그런 방향으로 유도하는 것이 중요하다.

사랑이라는 감정에 초점을 맞추어라. 그러면 당신의 마음이 열리면서 사물을 보다 잘 이해할 수 있게 되고, 매사에 비판적이지 않게 된다. 삶을 가만히 들여다보면, 비평이나 비난을 할 때 보다는 사랑할 때 우리들이 품고 있는 의심스런 감정을 더 잘 가라앉힐 수 있다는 사실을 발견할 수 있을 것이다. 부정적인 감정은 불신의 벽을 더 높이 쌓을 뿐이지만, 사랑과 친절은 그런 벽들을 모두 제거하고 소통의 통로를 열어주는 역할을 한다.

우리들은 "기적을 꿈꾸라."는 교훈을 받으면서 자라났다. 이 말은 매우 적절한 충고이다. 여기에서의 핵심은 무엇이 정말 간절히 원하는 것이냐를 정확히 집어내는 일이다. 이것이야말로 끌어당김의 법칙에서 가장 중요한 핵심 요소이다. 왜나하면 하나님은 언제나 우리들이 원하는 것을 주시기 때문이다. 그러므로 당신이 원하지 않는 것을 구하는 어리석음을 당장에 중단하라. 그리고 진정으로 당신이 원하는 것을 구하라. 이것이야말로 자기실현의 황금법칙이다.

7. 활기찬 사람이 되라

충격이 크면 클수록 에너지의 반응도 정비례한다. 다

른 말로 하면, 당신의 에너지는 당신의 영혼이 간절히 원하는 것을 구할 때 올라가게 되어있다는 말이다. 당신이 새 차를 간절히 원하는 경우를 예로 들어보자. 자동차에 열광하는 많은 사람들은 대다수가 현재의 유행이나 대중들의 의견을 따르는 경향이 있다. 그렇다면 이런 경우, 당신이 차를 갖고 싶어 하는 목적은 당신의 영혼이 원하는 목적과 일치하고 있는가? 다른 무엇이 당신에게 영감을 불러 일으켰는가? 아마도 당신은 여행을 더 많이 다니고 싶어했지만 그렇지 못했을 수도 있다. 또는 새로운 취미를 개발해서 거기에 맞는 장비를 싣고 다니고 싶었지만 그럴 수 없었을지도 모른다. 크루즈 여객선을 타고 세계일주 여행을 하는 것은 분명 차를 새로 사는 것보다 더 많은 에너지를 창조한다. 예술분야에 새로 입문하여 레슨을 받기로 한 것도 많은 에너지를 창출해 낼 것이다. 당신의 열정이 인도하는 대로 가보라. 그러면 거기에 필요한 에너지도 따라서 창조될 것이다.

활기찬 행동은 전염성이 있다. 만약 당신이 무엇인가 간절히 원하는 것을 친구들에게 정열적으로 설명하는데도 거기에 전혀 반응을 보이지 않는다면, 당신은 그들의 에너지를 끌어오지 못할 것이다. 그러나 만약 그들이 당신의 비전에 공감하고 영향을 받았다면 결과는 두 가지로 나타날 것이다. 첫째로 일어날 수 있는 일은, 그들이 당신의 열정에 자신들의 에너지를 더함으로써 당신을 도울 수 있다는 가능성이다. 둘째로 일어날 수 있는 일은, 그들이 당신의 에너지에 긍정적인 영향을 받아서 자신들을 위해서 무엇인가를 할 수 있고, 그 결과 그들의 인생이 바뀌게 될 가능성이다. 여기에서의 핵심은 당신의 에고를 따르지 말고 영혼이 원하는 바를 따르라는 말이다.

8. 긍정적인 사람이 되라

이 열쇠는 절대적이다. 만약 당신이 끌어오고 싶은 것에 대하여 부정적인 생각을 갖고 있으면, 하나님은 당신의 부정적인 태도를 보고 당신이 그것을 "원하지 않는다."라고 해석하신다. 그 결과 당신은 목적을 달성할 수가 없다. 문제는 우리들이 이러한 기(氣)를 알아차리기가 쉽지 않다는 데에 있다. 이런 부정적인 기는 당신의 의식 저편에 숨어 있다가 당신의 합리적인 사고방식에 살며시 침투해 들어오기 때문이다. 이것이 바로 당신의 긍정적인 마음가짐이 가끔씩 비합리적인 장벽에 가로막히는 이유이기도 하다.

때때로 이런 부정적인 마음가짐이 당신을 압도한다면, 당신은 그것을 인정하지 않고는 배기지 못할 수도 있다. 바로 이럴 때 우리들의 삶은 그런 방향으로 흘러가는 것이다. 사물을 아주 단순하게 보라. 보이는 모든 것들을 축복하라. 그러면 당신은 그 다음단계로 자연스레 나아갈 수 있을 것이다.

9. 진실되라

"진실 되다."는 말은 "정직하다."는 말과 동의어인데, 이 두 단어는 당신의 영혼이 구하는 바를 성공적으로 구현하기 위하여 요구되는 품성들이다. 하나님은 언제나 당신이 진정으로 원하는 것들을 줄 준비가 되어있다는 사실을 다시 한 번 기억하기 바란다. 그러나 당신이 진정 원하는 것이 무엇인지 분명치 않다면, 하나님 또한 당신에게 무엇을 주어야 할지 혼란스러워 하신다. 이 페이지에서의 목표는 당신이 명확한 목표를 갖도록 돕는데 있다. 그래야만 분명한 자기실현이 가능하기 때문이다.

많은 사람들은 단지 리스트에 적혀 있는 지시사항 대로만 하면 필요한 모든 것들이 자동적으로 흘러들어온다고 믿고 있다. 이론상으로 볼 때 이 말은 맞는 말이다. 그렇지만 대다수의 사람들은 성공에 필요한 '내부적인' 작업을 하지 않는다. 그들은 주어진 방향대로만 일할 뿐 거기서 더 나아가려 하지 않는데, 이런 식의 시도는 성공할 수가 없다. 이럴 때 그들은 쉽게 포기하며 자기들과 성공한 사람들과는 뭔가 근본적인 차이가 있을 거라고 지레짐작하며 자기비하(自己卑下)를 하곤 한다.

이건 참 슬픈 일이다. 우리들이 모두 같은 하나님에 의해서 창조된 같은 능력의 피조물이라는 사실을 기억한다면, 이런 자책감은 의미가 없다. 여기에서의 차이점이란 별로 대수로운 것도 아니다. 즉, 어떤 사람들은 그 '내부적인 일'을 한 사람들이고 다른 사람들은 그 일을 하지 않은 사람들이라는 정도이다. 자기 자신에게 충실하고 진실되게 행동한다는 건 어느 누구도 대신해 줄 수 없는 일이다.

당신은 자신에게 정직해야만 한다. 이 말에 대신할 다른 말은 없으며 어느 누구도 당신을 위해서 정직해 줄 수도 없다. 당신이 이 책에서 소개하는 자기실현의 모든 도구들을 다 끌어 모아서 성공을 거머쥔다고 하더라도 결국 그 성공은 피상적일 뿐이며, 가장 높은 단계의 성공까지 도달할 수는 없다. 여기에서의 진정한 질문은 이런 것이다. 나는 과연 어떻게 해야만 내 영혼이 원하는 것을 끌어당길 수 있을까? 그 대답은 당신의 성공을 가로막고 있는 그 믿음의 한계를 제거하는데 필요한 길을 가라는 것이다. 그러면 당신이 원하던 모든 것들이 자연스레 당신의 방향으로 흘러들어 올 것이며, 자신에 대하여 정직하지 않았던 과거에는 볼 수 없었던 것들까지도 보게 될 것이다.

10. 감사하는 사람이 되라

감사하는 마음이야말로 당신이 원하는 모든 것들을 끌어당기는 힘에 있어서 가장 중요한 요소이다. 그것은 하나님조차도 부정할 수 없는 힘이며, 하나님이 가장 기뻐하시는 성품이다. 여기에는 당신도 예외가 아니다. 다른 이들이 당신이 베푼 작은 선물이나 친절에 감사할 때, 그런 그들의 행동으로 인하여 당신은 더 많은 것을 타인에게 베풀고 싶은 마음이 생기게 마련이다. 최소한 당신이 준 선물이나 베푼 호의가 쓸데없는 것은 아니었다는 사실을 확인하였기 때문에, 당신의 마음은 전보다 훨씬 더 열려 있게 될 것이다.

하나님의 방식은 그 선물이 크건 작건 문제 삼지 않으신다. 여기서 한발 더 나아가면, 나는 당신에게 성공했을 때뿐 아니라 실패했을 때에도 감사하는 마음을 가지라고 권하고 싶다. 왜냐하면 우리들은 성공을 통해서도 배우지만, 실패하는 과정을 통해서는 더 많은 교훈들을 얻을 수 있기 때문이다. 실패를 감사해야 할 또 다른 이유는, 우리들 모두는 그런 과정을 통하여 동일한 실패를 반복하지 않을 수 있기 때문이다.

제15장 원하는 것들을 얻지 못하게 하는 10가지 장애물들

1. 나는 가치 없는 사람이다
2. 나는 받을 자격이 없다
3. 나는 매사에 분명하지 않다
4. 나는 열정적이지 않다
5. 내게는 열린 마음이 없다
6. 나는 건강하지 못하다
7. 나는 기꺼이 하려고 하는 사람이 아니다
8. 나는 준비가 되어 있지 않다
9. 나는 남을 도우려고 하지 않는다
10. 나는 현실적이지 않다

1. 나는 가치 없는 사람이다

지구상의 모든 사람이라면 누구나 한번쯤은 자기가 원하는 것을 할 만한 능력이 없다거나, 또는 자기가 그만한 값어치가 되지 않는다고 생각해 본 적이 있을 것이다. 어쩌면 어린 시절에 이런 경험을 해 보았을 수도 있고, 그렇지 않으면 어떤 정신적인 충격이 이런 상태로 몰고 갔을 수도 있다. 때로는 이런 감정이 너무나 단단해서 도저히 그 부정적인 감정에서 벗어날 수 없을 것 같은 때도 있었을 것이다.

그렇지만 그 반대가 진실이다. 당신은 그런 과거를 부정하고 새롭게 태어나는 기회를 잡은 것이다. 이제 그 첫 단계는 그것이 가능하다는 것을 인정하고 그 가능성의 세계로 한 발짝 성큼 내딛는 깃이다. 자, 준비가 되었는가? 그렇다면 이제 당신 앞에는 전혀 새로운 세계가 기다리고 있다.

당신은 단지 한 가지 이유만으로 당신이 원하는 것들을 받을 자격이 있다. 당신은 이 세상에서 어떤 순간에도 하나님의 완전한 아이이다. 지금 이 순간 이 책을 읽는다는 사실은, 당신은 최소한 이 우주의 창조자이신 하나님의 존재를 믿는다는 증거이기도 하다.

내가 믿기로 하나님은 우리들의 과거가 어떠했던 간에, 또는 우리들의 미래가 앞으로 어떻게 전개될지에 상관없이, 우리들 한 사람 한 사람을 완전한 존재로 보고 계신다. 다른 말로 하면, 하나님은 바로 지금 이 순간의 나를 사랑하신다는 말이다. 이 말이 사실이라면, 당신이 과거에 저질렀던 어떤 끔찍한 일들도 더 이상 아무런 의미를 갖지 못한다. 그것들은 당신을 지금 이 순간으로 끌고 온 경험들일 뿐이다. 그리고 그것들 때문에 지금 이 순간 당신이 필요한 모든 것들을 하나님께 달라고 간절히 구하는 어린아이가 되어 있는 것이다. 이제야말로 당신은 하나님의 시각과 동일하게 당신 자신을 볼 수 있게 되었다. 자신을 가치 있는 사람으로 볼 수 있는 눈이 열렸다는 말이다.

2. 나는 받을 자격이 없다

지난 장에서, 나는 당신에게 당신이 원하는 선물을 받을 자격이 있느냐고 물었다. 나는 당신의 대답이 "그렇다."이기를 기대하고 그 질문을 던졌다. 내가 이미 여러 번 강조했듯이, 당신이 진정으로 원하던 선물은 사실은 이미 당신 안에 있었던 것이다. 에고는 더 풍요로운 삶을 누리면서 더 장수하기를 바라기 때문에 '받는 것' 만을 추구한다고 했다. 반면에 당신의 영혼은 그 모든 것들이 이미 당신 안에 풍족히 있다는 사실을 잘 알고 있으므로 '주기'를 더 즐겨한다는 논리이다.

이 선물들은 무엇인가? 아마도 모두가 삶에서 가장 절실히 필요로 하는 항목을 꼽으라면, 우리들 모두는 '사랑'이라는 감정을 선택할 것이다. 우리들은 자녀로부터 사랑받기를 원할 뿐만 아니라, 배우자, 친구들, 심지어는 별로 친하지 않은 사람들로부터도 사랑받기를 원한다. 사랑이란 덕목을 그토록 간절히 원하는 이유는 바로 우리들이 사랑받기 위해 태어났기 때문이다.

무슨 자격이 없다는 말인가? 사랑받을 자격? 선물 받을 자격? 아니다. 당신에게는 이미 충분한 자격이 차고 넘친다. 지금껏 꿈꾸어 왔던 것들, 그 선물들은 이미 예전부터 당신의 내면에 다 존재해 왔던 것들이었다. 단지 그런 사실을 깨닫지 못하고 있었을 뿐이지만, 이제는 그런 열등감에서 해방될 때이다. 생생한 그림을 그려라. 꿈이 이루어지는 첫 단계는 바로 이러한 명확성에서부터 시작된다는 사실을 명심하라. 받을 자격이 없다는 생각은 그 꿈으로부터 당신을 자꾸만 멀어지게 할 뿐이다.

3. 나는 매사에 분명치 않다

우리들은 살면서 많은 실수를 저지른다. 그런 실수가 쌓일 때마다, 한 때는 돌처럼 단단했던 자신감도 서서히 사라져버리곤 한다. 그러면서 자신도 모르는 사이에 스스로에게 이렇게 묻기도 한다. "나는 매사에 맺고 끊음이 분명하지 못한 건 아닐까?" 또는 "나는 정말 멍청한 놈일까?"

왜 그런가? 그것은 당신 주변의 사람들이 당신의 한두 번 실수를 가지고 지나치게 당신을 몰아세웠기 때문이다. 어려서부터 부모님으로부터 학대를 받으면서 자란 아이들이 성인이 되고나면 이런 경향이 심하게 나타난다. 대표적인 언어학대의 경우를 들면 이런 말들이다. "네가 하는 일이 늘 그 모양이지 뭐." 또는 "내가 너에게 기대를 한 것 자체가 잘못이야."

자, 이제 그런 과거의 굴레에서 과감히 벗어날 때가 되었다. 작은 성공이라도 스스로를 격려해주라. "그것 봐. 이번에도 해냈잖아." 이런 식으로 말이다. 그러면 그런 작은 성공이 더 큰 성공을 불러오게 되고, 점차 그런 성공들이 모여서 이제 당신은 더 이상 실패를 두려워하지 않는 강인한 사람이 되는 것이다. 이것을 다른 말로 하면 '시너지 효과'라고 표현할 수도 있을 것이다. 그러므로 본인 스스로에게 크게 소리쳐라. "나는 무슨 일이든 딱 소리 나게 하는 사람이다!"

4. 나는 열정적이지 않다

당신의 꿈을 이루는 많은 열쇠 중에서 결정적인 하나는 바로 활기참에 있다. 당신이 어떤 목표 또는 사물에 열정을 쏟아부으면 부을수록, 그것은 그만큼 더 빠른 속도로 피드백이 된다. 열정이란 바로 이런 것이다.

만약 당신이 어떤 일에 열정적이지 않다면 하나님도 그 일에 별로 관심을 기울이시지 않을 것이다. 만약 당신이 어떤 사람에게 데이트를 신청했다고 가정해 보자. 열정을 품은 태도로 데이트에 임하면 상대방도 당신의 그 넘쳐나는 에너지에 감동하여 저절로 당신에게 빠져들고 말 것이다. 그러나 만약 그저 그런 단조로운 목소리로 데이트를 청했다면 어떻게 될까? 상대방은 분명 당신의 데이트 신청을 그저 그런 농담 정도로 치부하고 말 것이다. 그 결과는 보나 마나 뻔하다. 두 사람 모두가 "그냥 한 번 만나나 볼까?" 하는 심심풀이 정도의 자세루 임하는 데이트가 성공한다면 그게 오히려 이상하지 않은가?

당신이 하나님께 이런 방식으로 접근한다면, 하나님으로부터도 동일한 결과를 얻게 된다. 따라서 당신이 원하는 어떤 것에 미친 듯한 반응을 보인다는 것이 그만큼 중요하다. 반응이 바로 에너지이기 때문이다. 우리들은 이미 주는 것과 받는 것은 동일선상에 놓여있다는 진리를 터득하였다. 그러므로 더 많은 에너지를 주게 되면, 더 많은 에너지를 받게 된다. 그러므로 어떤 것을 주기 전에 무언가를 받으려고 해서는 안 된다. 열정이란 약속의 또 다른 형태이기 때문에, 당신이 무엇에 미칠 것인지를 조심해서 선택해야만 한다.

5. 내게는 열린 마음이 없다

닫힌 문을 그대로 통과하기란 불가능하다. 마찬가지로 당신의 마음이 열려있지 않다면 받기를 기대해서는 안 된다. 성공을 향한 장애물 중, 어떤 것은 방해가 되는 게 분명해 보이는 경우도 있지만, 또 다른 장애물은 애매모호한 경우도 있다. 지난 수년 동안 나는 내 자신이 마스터한 것은 아무것도 없다는 사실을 깨달았다. 다른 말로 하면, 나는 아직도 인생의 어린아이로서 배울 게 무궁무진하다는 사실을 깨달았다는 말이다. 나 역시도, 비록 아마존 베스트셀러 작가로서의 명성을 얻기도 했지만, 다른 사람들처럼 여기저기에 있는 함정에 빠지면서 실수투성이의 삶을 살아 왔다는 말이다.

당신이 무엇을 배웠다는 말은 그 레슨이 끝났다는 말

이 아니다. 지금껏 당신이 한 여행은 겨우 당신의 심장 속, 가슴 속으로의 여행이었을 뿐이다. 나는 수없이 많은 시간을 내 마음, 즉 나의 심리상태에 대하여 공부했지만, 그것을 실제 생활에 적용하면서 또 얼마나 많은 실수를 저질렀는지 모른다. 심지어 나는 애써 배운 것들을 나 자신도 모르는 사이에 잊고 있었다. 그러므로 당신 자신이 항상 자라고 있으며 끝없이 학습하고 있다는 마음가짐을 가지고 산다는 게 참으로 중요하다. 승리뿐만이 아니라 도전 그 자체도 항상 열린 마음으로 바라보라. 그런 태도나 마음가짐을 통하여 당신은 계속하여 성장하게 될 것이다.

6. 나는 건강하지 못하다

아래의 질문은 아주 단순하다. 그러나 이 질문은 아주 중요하기 때문에 최대한 정직하고 명확하게 답해야 한다.

"나의 목표는 조화를 추구하는가? 아니면 불화를 추구하는가?"

이것이 바로 건강에 대한 정의이다. 즉, 조화롭다는 말은 건강하다는 말이고, 불화 또는 불일치는 건강하지 않다는 말이다. 만약 당신이 초점을 맞추고 있는 목표가 삶의 각 단계마다 조화로운 삶을 저해하고 균형을 깬다면, 나는 당신에게 그 목표를 포기하거나 또는 다른 방향으로 전환하라고 충고하고 싶다. 당신은 마음먹기에 따라서 축복을 창조해 낼 수도 있고 불일치와 분열을 조장할 수도 있다.

기억하라. 당신이 다른 사람들에게 한 모든 행동은 결국 자신에게 돌아온다는 사실을. 당신은 모세의 코드를 자신을 축복하는데 사용할 수도 있지만, 다른 사람들을 상처주는데 쓸 수도 있다는 말이다. 건강한 정신을 가지고 다른 사람들을 축복해주는 말을 자주 할 때, 당신은 날마다 하늘나라에 제단을 쌓는 것이며, 하나님과 더 가까워지는 것이다. 당신이 영적으로 건강하지 않다는 생각을 버려라. 당신이 만나는 모든 사람들에게 축복과 치유의 은사를 베풀라.

7. 나는 기꺼이 하려고 하는 사람이 아니다

만약 당신이 기꺼이 일하는 사람이 아니라면, 사태를 그냥 흘러가는 대로 놔두고 당신 자신은 문제 속에 빠지는 게 최선인 듯싶다. 지금 이 말은 자기가 추구하는 바를 열심히 좇아 최선을 다하며 요술막대기를 휘두르고 싶어 하는 사람들에겐 해당되지 않는 말이다. 대다수의 경우에 있어서, 자기 자신의 꿈을 실현하고자 하는 사람들에겐 자세의 전환이 요구된다. 내부에서 충동질하는 열정을 추구하고 싶다면 당신은 어떤 일이든지 기꺼이 하려는 마음자세를 가져야 하며, 단지 소망만 하며 저절로 결실이 맺어지기를 기다려서는 안 된다. 바로 이점이 성공하는 사람들과 실패하는 사람들의 가장 큰 차이점이다. 당신은 그 선물을 받을 자격이 있다는 사실을 단지 생각이나 기도만이 아닌, 적극적인 행동으로 나타내 보여주어야만 한다.

기꺼이 하려고 하는 마음가짐이란 하나님께 자신을 나타내어 자신이 끝없이 도전하며, 모든 각도에서 다양한 노력을 기울이고 있다는 점을 부각시키는 행위이다. 만약 당신이 어느 한 방향이나 각도로만 자신의 마음을 고정시켜 놓고 있다면, 당신은 하나님께서 주시는 새로운 선물이라는 기회를 그냥 지나쳐버릴 수도 있나.

창조의 물결에 몸을 던질 때, 당신은 근본적으로 하나님과 동일한 창조자가 된다는 사실을 절대 망각하지 말라. 하나님은 당신과 함께 그 꿈이 실현될 때까지 동역하신다. 그러므로 당신의 힘이 하나님과 일직선상에 조화롭게 정렬되도록 노력해야만 한다.

"나는 기꺼이 받으려고 하는 사람이 아니다."라는 부정적인 생각은 하나님으로부터 받을 수 있는 모든 도움을 자신의 발로 스스로 걷어차 버리는 결과를 낳게 한다.

8. 나는 준비가 되어 있지 않다

내가 어려서 보이스카웃 단원이었을 때, 나는 언제나 준비가 되어 있어야 한다고 배웠다. 그것은 우리들의 모토였으며, 자기실현의 세계에 그대로 통용되는 황금법칙이었다. 당신이 이루고자 하는 일에 초점을 맞춘다는 것은 그만큼 중요하다. 그런 태도는 하나님께 당신 자신이 매우 진지하게 그리고 기꺼이 그 얻고자 하는 것을 위해 몰입할 수 있음을 나타내는 징표가 된다. 만약 당신이 좋은 집을 갖기 원한다면, 맨 먼저 당신을 도울 수 있는 좋은 부동산 중개업자를 만나는 게 중요하다. 당신의 평생 반려자를 찾고자 한다면, 기도로 당신의 에너지를 쏟아 부으라. 내가 전에도 언급했지만, 일단 투입된 에너지는 더 많은 에너지를 끌어오는 경향이 있다. 그러므로 에너지를 펌프질하는데 결코 두려운 마음을 가져서는 안 된다.

당신이 진정으로 필요한 사람을 맞이하고자 하나 당신

마음속에 그 사람을 받아들일 공간이 없다면, 즉시로 그런 공간을 만들어야 한다. 새로운 집을 가지고 싶으나 신용이 그런 수준이 되지 못한다면, 당신의 신용을 끌어올릴 수 있는 작업에 즉시 착수해야만 한다.

"준비되어 있다."는 말은 새로운 현실이 들어올 수 있도록 공간을 마련해 놓는 작업이다. 만약 당신이 준비가 되어 있지 않다고 스스로 말한다면, 그 기회는 오자마자 순식간에 당신 곁을 떠나버릴 것이다. 그러므로 왜 부정적인 말을 하여 공연히 그 소중한 기회를 날려버리려 하는가?

9. 나는 남을 도우려고 하지 않는다

여기에 아주 엄청난 아이디어가 있다. 만약 당신이 자기실현의 기술, 또는 끌어당김의 법칙을 배우려고 한다면, 먼저 다른 사람을 도우라. 우리들 모두는 "가르치는 것이 곧 배우는 것이다."라는 격언을 몇 번씩은 들어보았을 것이다. 이 말은 내게 큰 가르침이 되었다. 아마 당신도 마찬가지일 것이다. 나는 지금껏 학생들에게 평화정착의 기초과정에 대하여 가르치면서 살아왔다. 나는 내가 가르치면 가르칠수록, 더 많은 것을 배운다는 사실을 실제 경험을 통하여 배워왔다. 이 말은 마치 뒤쪽으로부터 접근하는 것처럼 보이지만, 나는 실제 나의 인생을 통하여 그것이 사실임을 깨달았다.

나의 친구 하나는 지역교회에서 주민들을 상대로 풍요에 대하여 가르치기로 결심하였다. 그 사실을 알고 나는 너무도 놀랐는데, 왜냐하면 그는 정말 풍요나 부에 대하여 아무것도 모르는 사람이었기 때문이었다. 예를 들어, 그의 집은 경매에 넘어가는 절차 중에 있었고, 내가 알기로 그는 그 위기를 면하려고 이 은행, 저 은행, 또는 이 친구 저 친구를 가리지 않고 돈을 빌리러 돌아다니고 있었던 것이다. 내 판단으로는, 그는 최소한 남들에게 그런 과정을 가르치기 전에 자신이 먼저 배울 필요가 있는 사람이었다.

바로 그때 아주 이상한 일이 발생하였다. 그 강좌가 시작되고 수주일 후부터 그의 사업도 서서히 좋아졌으며 그의 재정상태도 개선되기 시작하였다. 간단히 말해서, 내 친구가 다른 사람들에게 풍요나 부에 대하여 더 많이 도우면 도울수록, 더 많은 것들이 그에게로 흘러들어갔던 것이다. 이 경우는 내가 실제로 체험한 일로써, 어떻게 주는 것과 받는 것이 동일한지를 보여주는 가장 생생한 케이스였다.

10. 나는 현실적이지 않다

당신이 실현하려고 하는 목표의 달성을 방해하는 열 가지 항목 중 마지막 단계를 설명하는 건 사실 좀 어렵다. 지금껏 당신은, 당신이 꿈꾸고 갈망해 왔던 모든 꿈은 다 이루어진다는 말을 수없이 들어왔다. 그리고 그 말은 사실이다. 그러나 여기 이 법칙에는 무시하지 못할 또 하나의 중요한 요소가 있다. 예를 들어, 당신이 미국 NBA의 스타가 되기를 열망하나 벌써 40이 넘은 나이라면, 당신은 자신이 원하는 바를 이룰 수가 없다.

때때로 우리들은 그 꿈에 적합하지도 않은 허무맹랑한 꿈, 또는 목표를 갖는 경우가 있다. 즉, 현실적이지 않다는 말이다. 이런 실수는 우리들 중 대다수가 저지르는 실수이기도 하다. 그러므로 꿈을 꾸기 전, 이렇게 질문해 보기 바란다. "이것이 정말 내가 꿈꾸는 것인가?" 또는 "이렇게 하면 내 영혼이 즐거워할까?"

만약 그 동기가 진정으로 당신이 원하는 것이라면, 100만 불짜리 수퍼 카가 되었건, 500만 불짜리 호화주택이 되었건, 그것에 도달할 수 있는 길로 차근차근 나아가야만 한다. 내가 이 책의 앞에서도 이야기 했듯이, 당신이 불가능하다고 말하지 않는 한, 그 어떤 것도 불가능하지 않다. 그러므로 자기 자신에게 이렇게 말해야 한다. "나는 현실적인 사람이다."

저자 후기

당신이 그렇게 말하지 않는 한, 그 어떤 것도 불가능하지 않다. 당신이 말한 것이 이루어지지 않을 것 같은가? 가슴 속의 갈망을 채우고 삶의 모든 단계에서 만족스런 사람으로 산다는 게 불가능하다고 생각하는가? 당신은 자신이 하나님 나라의 아주 작은 부분 밖에 차지할 수 없는 사람이라고 단정하는가?

만약 당신이 이 책에서 얻는 소득이 있다면 그것은 아마도 이런 말일 것이다.

"나는 하나님의 나라 전체를 차지할 가치가 있는 사람이다."

M

어떻게 이러한 진리를 깨달았는가? 바로 남에게 주기만 한다는 단순한 진리를 통해서, 당신의 영혼은 하나님이 그렇게 주시기를 원하는 것처럼, 오로지 주기만을 원한다. 반면에 당신의 에고는 모든 것을 끌어 모으기만을 원한다. 자신에게 해야 할 단 하나의 질문은 바로 이것이다.

"누가 내게 주기만을 할 것인가?"

에고의 길이 당신에게 오로지 주기만 하였던가? 그 길이 결국은 당신에게 다른 길을 강요한 길이 아니었던가? 이제 당신의 눈은 하늘나라로 향하게 되었다. 왜냐하면 하나님의 선물만이 당신을 행복과 평화의 나라로 인도하는 것을 이제야 알았기 때문이다. 여기에 우리 모두에게 가장 좋은 선물이 있다.

"하나님의 선물은 예전부터 이미 우리들의 것이었다!"

그것을 받으려고 애쓸 필요도 없으며, 그것을 받으려고 당신 자신의 품성을 바꾸려고 노력할 일도 아니다. 이게 바로 당신이 이 세상에 태어난 목적이며 당신이 이 책을 선택해서 읽고 있는 목적이다. 천국은 이미 당신 앞에 열려 있으며, 당신이 필요한 모든 것들을 준비해 놓고 있다. 당신이 해야 할 일은 단지 마음을 활짝 열고 이러한 하늘의 축복이 들어오도록 허용하고, 만나는 모든 사람들에게 그 축복을 나누어 주는 일 뿐이다. 이렇게 할 때에만 그 축복이 당신에게로 흘러들어갈 것이다.

"그러므로 네! 라고 대답하라."

자, 이제 이 책을 총 정리해 볼 시간이다. 욕망의 피라미드를 가장 아름답게, 하나님의 섭리에 맞추어서 그리면 어떤 모양이 될까? 우리들 내면의 에고의 목적을 다 뒤로하고 온전히 하나님을 기쁘게 해드리는 삶을 살려면 어떻게 해야 할까? 그것이 결국 더 큰 차원에서 보면 우리들의 영혼을 살찌게 하고 삶을 풍요롭게 하는 길이 되겠지만, 그건 아마도 이런 모양이 되어야 하지 않을까? 바로 새로운 차원의 욕망의 피라미드이다.

이 새로운 차원의 욕망의 피라미드야 말로 다툼과 분쟁을 종식시키고 세계에 평화를 가져오는 길잡이가 될 것이다. 나보다도 남을 먼저 배려하는 마음에 무슨 다툼이 있을까? 받기보다는 주기를 더 즐겨하는데 무슨 반목이 있다는 말인가?

이 길로 가자. 이 가르침대로 살자. 그래서 모세의 코드를 완성하고 이 땅에 평화를 가져오자. 그러면 우리들 자신의 부, 명예, 친구, 가족, 건강… 이런 사소한 것들은 저절로 채워질 것이다.

"천국의 문은 활짝 열려있다. 이제 기쁜 마음으로 그 문으로 들어가자!

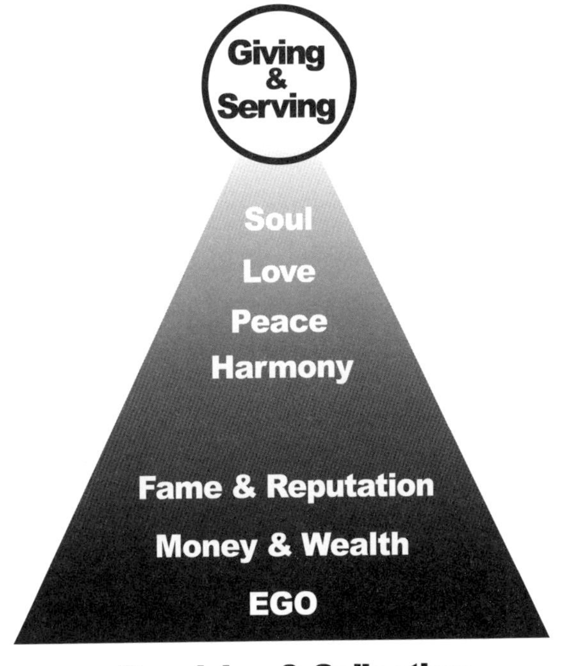

옮긴이의 글

지난 6개월 동안 이 책을 읽다가는 생각하고, 또 읽고 하면서 번역작업을 해 왔다. 그 동안 아마도 7~8 차례는 읽은 것 같다. 이 책을 읽으면서 내가 제일 큰 은혜와 축복을 받았을 것이라 생각한다. 이 책의 핵심 내용은 한마디로, "하나님의 축복은 이미 우리들 마음속에 있다."는 말로 요약될 수 있을 것이다. 다시 말하면, 부도 명예도, 좋은 교우관계도 결국은 이미 우리들 안에 다 있는데, 다만 그런 사실을 모르고 지나쳐 왔다는 것이다. 그래서 곰곰이 생각해 보았다. 나 역시도 지금껏 있는 것들은 뒤로 한 채로 더 많은 것을 달라고 부르짖지 않았던가. 도대체 무엇을 더 달라고 그렇게 10년이 넘는 세월을 새벽마다 매달렸을까?

그래서 생각을 바꾸고, 내가 간절히 기도해 오던 기도

제목 중 하나를 즉시 실천에 옮기기로 하였다. 바로 오지의 개척교회들을 돕겠다고, 그러나 아직은 때가 되지 않았다는 이유로 차일피일 미루던 일을 즉시 실천에 옮기기로 한 것이다.

지난 세월 동안 새벽마다 하나님께 부르짖었다. 산골마을, 어촌마을, 벽촌마을의 개척교회 목회자들을 돕게 해 달라고 새벽마다 간절히 하나님께 기도로 매달렸다. 당시의 기도내용은 이랬다.

"하나님 아버지, 제게 물질을 허락해 주세요. 제가 어려운 교회들을 도울 수 있게 시간과 여건을 허락해 주십시오."

그런데 어느 날 문득 『모세의 코드』를 번역하는 과정에서 나에게 응답이 왔다. 책 내용 중에 "Some day never come"이라는 구절이 나의 가슴을 울린 것이다. 곰곰이 생각해 보니, 나는 지금껏 '언젠가 때가 되면' 하면서 나 자신을 합리화하고 있었던 것이다. 그 며칠 후 새벽기도 시간에 '지금 당장!'이라는 하나님의 말씀을 들었다. 아니 어쩌면 그것은 내가 그냥 기도에 몰두해 있었기 때문에 떠올린 착각이었는지도 모른다.

어쨌든 나는 즉시 행동에 옮기기로 하였다. 추운 겨울날의 금요일, 강원도 휴전선 근처의 간성에 있는 산골마을을 찾았다. 그것도 뚜렷한 목표가 있어서 간 것도 아니었다. 그냥 발길 닿는 대로 차 가는대로. 그렇게 속초를 지나서 한참을 올라가다보니까 정말 조그마한 동네에 그림과도 같은 교회가 있었다. 6시가 좀 넘은 시각이었는데, 안내판을 보니 금요예배는 7시부터란다.

나보다 10년 정도 연상으로 보이는 목사님이 친절하게 나와 아내를 맞아 주셨다. 예배 시작 시간에 주변을 둘러보니 모인 사람들은 우리 두 명을 포함하여 모두 8명이었다. 예배가 끝나고 기도시간이 되자 목사님이 우리 부부를 교인들에게 소개해 주셨다. 그들과 함께 한참 동안을 눈물을 흘리면서 기도했다. 10만 원의 헌금도 했다. 사실 나는 한 번 찾아갈 때 더 많은 헌금을 하겠노라고 기도했었다. 그러나 하나님은 그런 방법을 원치 않으셨다. 그냥 있는 그대로의 헌신을 요구하셨던 것이다.

집회가 끝나고 목사님 사택으로 옮겨서 다시 목사님과 사모님을 포함한 열 명의 사람들이 손에 손을 잡고 기도를 했다. 사택은 교회의 후문과 연결되어 있었다. 바로 내 옆에는 사모님이 계셨는데 50대 후반쯤 되어 보였다. 얼굴에는 기미가 가득했다. 기도회가 모두 끝난 후 두 개의 상 주변에 빙 둘러 앉았다. 교인들이 만들은 도토리묵이라며 음식을 가져왔다. 또 이런 저런 산나물 무침도 풍성했다. 정말 오랜

만에 먹어보는 별미였다.

9시쯤 목사님 내외와 교인들의 전송을 받으며 간성을 떠나 서울로 향했다. 돌아오는 차 안에서 곰곰이 생각해 보았다. 주는 것이 더 큰 기쁨이란 『모세의 코드』의 가르침을 내가 이렇게 실천할 수 있었다니.

다음 날 점심 무렵, 간성의 유 목사님으로부터 전화가 왔다. 웬 헌금을 그렇게 많이 하고 가셨느냐고 하면서 너무나도 고맙다고 하셨다. 정말 서울에서는 교회 청년들 대여섯 명 데리고 밥 먹고 차 마시면 10만 원이 훌쩍 나가는데, 그것이 목사님이 두 번, 세 번이나 감사할 정도의 큰돈이었다니….

이제 내 삶은 기쁨으로 가득 차 있다. 에고의 충동을 따르지 않고 소울의 가르침을 따르는 삶, 받는 것보다 주는 것이 10배, 100배의 기쁨을 준다는 『모세의 코드』의 가르침은 진정한 진리이다. 아낌없이 주는 삶, 이것이 바로 '끌어당김의 법칙'의 완성인 것이다!

모세의 코드(개정판)

초판 1쇄 2009년 3월 1일
개정판 1쇄 2022년 7월 11일
개정판 3쇄 2024년 5월 16일

지은이 제임스 타이먼
펴낸이 최대석
옮긴이 다니엘 최
편집/디자인 최연
마케팅 조혜수, 임설아

펴낸곳 행복우물
등록번호 제307-2007-14호
등록일 2006년 10월 27일
주소 경기도 가평군 가평읍 경반안로 115
전화 031)581-0491
팩스 031)581-0492
홈페이지 www.happypress.co.kr
이메일 contents@happypress.co.kr
ISBN 979-11-91384-25-3 03200
정가 16,000원

이 책의 국립중앙도서관 출판예정도서목록(CIP)은
서지정보유통시스템 홈페이지(http://seoji.nl.go.kr)와
국가자료공동목록시스템(http://nl.go.kr/kolisnet)에서
이용하실 수 있습니다.

Publisher's Note

MOSES CODE

자기객관화 수업

현실적응력을 높이는 철학상담

모기룡

가스라이팅

자기객관화

서양철학은 우리도 모르는 사이에 우리의 사고를 주도하고 있다. 이를 테면,

너 자신을 믿어라 / 주체적으로 사고하라 / 고유한 너 자신을 찾아라 / 언제나 긍정적인 마음을 가져라 / 세상의 중심은 너다

이런 모토들은 장점도 있지만
그로 인해 외부의 관점을 무시하게 되는
부작용을 낳는다.
구루는 다음과 같이 말한다.

"이 모토들은 자신의 내면에 있는
것이 진짜 자신이라거나 가장
중요하다고 생각하게 만들지요.
그리고 타인들이 생각하는 나의
모습은 가짜이거나 중요하지
않다고 생각하게 만들지요."

행복우물

한 권으로 백 권 읽기 II

고고학-문사철-사회과학-자연과학-인공지능까지!

노벨상의 산실 - 미국 시카고대학교의 비밀!

1890년에 석유재벌 존 록펠러와 몇 명이 힘을 합쳐 세운 시카고 대학은 설립 후 근 40여 년 동안 크게 두각을 나타내지 못하던 학교였다. 그런 대학에 1929년 총장으로 부임한 로버트 허친슨 박사는 '위대한 고전 읽기 프로그램(Chicago Plan)' 운동을 벌인다. 그는 200여 종의 고전을 선정하고 그 중 100여 종을 읽지 않으면 졸업을 시키지 않았다.

처음에는 반발도 거셌지만 그 프로그램을 시작하고 90년이 지난 지금은 '시카고대학교(University of Chicago)' 하면 곧 '노벨상'이라는 등식이 성립하는 단계에까지 이르렀다.
위대한 고전을 읽는 일은 그만큼 중요하다.
사고의 폭이 넓어지면서 무궁무진한 아이디어가 솟아나기 때문이다.

출간 도서 안내

● 종교 정신세계

○ 죽음 이후의 삶/ 디펙 쵸프라 **+ [리커버]**

죽음, 인간의 의식 세계, 영혼에 대해서 규명한 디펙 쵸프라의 역작

○ 모세의 코드/ 제임스 타이먼 **+ [리커버]**

좌절과 실패를 경험한 이들을 위한 우주의 비밀들. 독자들의 성원으로 개정판 출시

○ 4차원의 세계/ 유광호

우리는 어디서 와서 어디로 가는가? 우주의 에너지 정보장, 전생과 환생의 비밀들

● 경영 경제 자기계발

○ 재미의 발견 / 김승일 **+ [대만 수출 도서]**

"뜨는 콘텐츠에는 공식이 있다!" 100만 유튜브 구독자와 高 시청률 콘텐츠의 비밀

○ 리플렉션: 리더의 비밀노트 / 김성엽

연매출 10조 원, 댄마크 '댄포스 그룹'의 동북아 총괄 김성엽 대표의 삶과 경영

○ 야 너도 대표될 수 있어 / 장보윤 박석훈 김승범 주학림 김성우

코로나와 경기침체는 스타트업 창업 절호의 기회. 전문가들의 스타트업 성공 메뉴얼

○ 자본의 방식 / 유기선

카이스트 금융대학원장 추천도서. 자본이 세상을 지배하는 방식에 대한 통찰들

● 인문 사회 독서

○ 한 권으로 백 권 읽기(1~2)/ 다니엘 최

이 시대에 꼭 필요한 명품도서 300종을 한 곳에 모아 해설과 함께 읽는다

○ 산만한 그녀의 색깔있는 독서/ 윤소희

특색있는 소설, 에세이, 인문학적 사유를 담은 책들에 관한 독서 마니아의 평설

○ 자기 객관화 수업 / 모기룡

인지과학 전문가 모기룡 박사가 풀어내는 자기 객관화에 대한 철학적, 인문학적 고찰

○ 가짜세상 가짜뉴스 / 유성식

가짜뉴스의 발생 원인은 뭘까? 가짜뉴스에 대한 통찰력 가득한 흥미로운 여행

● 에세이 + 여행

○ 낙타의 관절은 두 번 꺾인다 R / 에피 ○ 노대리의 정상회담 / 노선아 ○ 그렇게 풍경이고 싶었다 / 황세원 ○ 삶의 쉼표가 필요할 때 R / 꼬맹이여행자 ○ 네가 번개를 맞으면 나는 개미가 될거야 / 장하은 ○ 오리도 날고 우리도 날고 / 김명진 ○ 오늘도 아이와 함께 출근합니다/ 장새라 ○ 너의 아픔 나의 슬픔 / 양성관 ○ 장강유랑 / 이경교 ○ 당신의 어제가 나의 오늘을 만들고 / 김보민 ○ 여백을 채우는 사랑 / 윤소희 ○ 레몬 블루 몰타/ 김우진 ○ 슬픔이 너에게 닿지 않게 / 영민 ○ 사랑이라서 그렇다 / 금나래 ○ 내 인생의 거품을 위하여 / 이승예 ○ 길은 여전히 꿈을 꾼다/ 정수현 ○ 옷을 입었으나 갈 곳이 없다 / 이제

● 사진 / 예술

○ 뉴욕, 사진, 갤러리 / 최다운 ○ 내 인생을 빛내줄 사진수업 / 유림 ○ 김경미의 반가음식 이야기 / 김경미